Deil.

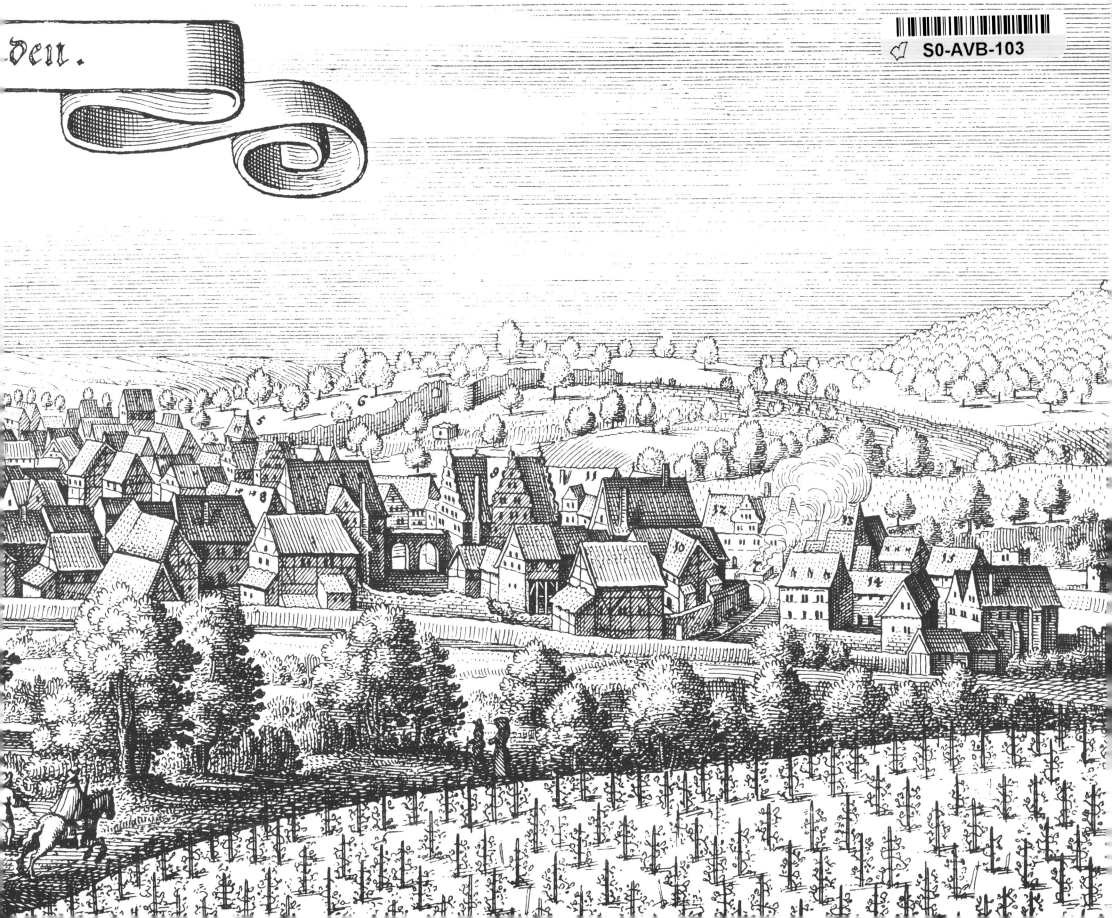

WIESBADEN

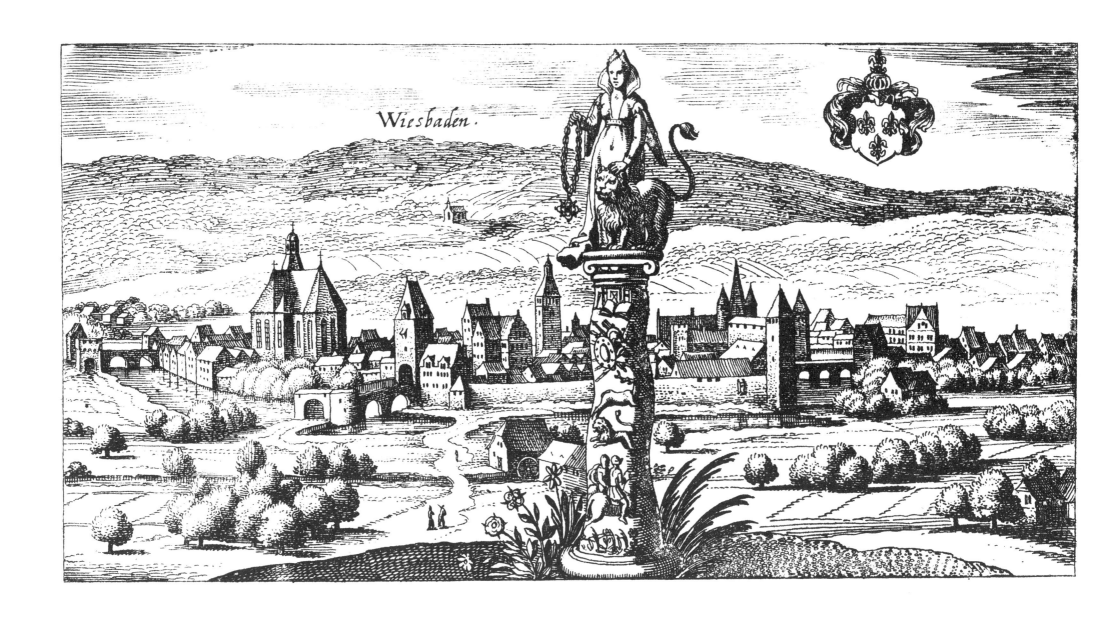

Wiesbaden.

WIESBADEN

Text Erik Emig
Fotografien von Wolfgang Eckhardt

Edition Braus Heidelberg

Copyright Edition Braus
im Verlag Brausdruck GmbH, Heidelberg

Grafische Gestaltung:
ggmbH Heidelberg

Übersetzung englisch:
Wolfgang Heinrich, Kassel

Übersetzung französisch:
Emmanuelle Ertel-Pelletier, Wiesbaden

Reproduktion:
Fotolito Longo, Frangart

Satz:
Brausdruck GmbH Heidelberg

Druck:
Brausdruck GmbH Heidelberg

Buchbinderei:
Großbuchbinderei Sigloch GmbH & Co. KG
Künzelsau

Papier:
120 g/qm Offset (Textteil)
150 g/qm Gardamatt brillante,
G. Schneider & Söhne GmbH & Co KG, Ettlingen

Luftbilder:
Freigegeben vom Regierungspräsidium Darmstadt
Nr. 1198/88

Vorsatz:
Stadtansicht von Merian, Kupferstich, veröffentlicht
in Merians »Topographia Hassiae«
Standort ist die Höhe oberhalb des Kurecks

Kupferstich Seite 2
Stadtansicht aus Daniel Meissners
»Thesaurus Philopoliticus«
(Politisches Schatzkästlein), erschienen 1624

Beide Kupferstiche aus dem Stadtarchiv der
Stadt Wiesbaden.

Jede Landschaft, jede Stadt hat ihre Jahreszeiten. Es gibt Städte, die entfalten ihren Charakter, ihren besonderen Reiz im Frühling, andere im Sommer oder im Herbst, mittelalterliche Städte vor allem im Winter. Wiesbaden hat zwei Jahreszeiten: Frühling und Herbst. Das hat mannigfache Ursachen, eine der wesentlichen: Wiesbaden ist eine grüne Stadt, eine Stadt eingebettet in eine grüne Landschaft, mehr als die Hälfte der Stadtfläche ist nicht mit Häusern, Straßen und Plätzen bebaut. Wald, Gärten, Parks und Grünanlagen bestimmen das Stadtbild. Fünfzehntausend Straßenbäume stehen in der Stadt, hinzu kommen unzählige Bäume in privaten Gärten. Dies unterstreicht den weiträumigen Charakter der Stadt. Vergeblich sucht derjenige, der diese Stadt zum ersten Mal durchwandert, einen geschlossenen Altstadtkern, mit heimelig anmutenden Gassen und Gäßchen. Alles ist breit in dieser Stadt, großzügig die Straßen, sie präsentieren sich häufig als prächtige Alleen, die Plätze sind große Flächen zumeist. Es herrscht keine Enge in dieser Stadt. Gewiß, es gibt im Stadtkern auch einige schmale Straßen und kleine Gassen, aber es sind deren nur wenige und sie bestimmen nicht das Bild der Stadt. Weiträumigkeit und Großflächigkeit sind wesentliche Voraussetzungen für den eleganten Eindruck, den die Stadt auf den Besucher macht.

Dabei ist Wiesbaden eigentlich keine Großstadt. Mit 270.000 Einwohnern ist sie eine mittlere Stadt mit vielen, recht eigenständigen Vororten, zum Teil ländlich-idyllisch, wie das kleine Heßloch mit seinen fünfhundert Bewohnern im Nordosten, teils von großen Industriewerken geprägt wie Biebrich im Süden, am Rhein. Diese Eigenständigkeit ist geschichtlich bedingt und zeigt deutlich die geringe Integrationskraft der Kernstadt, die stets mehr mit ihrer eigenen schwierigen Geschichte beschäftigt war, als daß sie ihrer Umgebung hätte ihren Stempel aufdrücken können – vielleicht wollte sie es auch nicht, wollte die Vielfalt in der Einheit erhalten. Das spiegelt sich auch in der Mentalität der Wiesbadener wider; sie auszumachen ist heute recht schwierig, das Nassauisch-Wiesbadenerische mischte sich mit Preußischem und nach dem 2. Weltkrieg mit Ostdeutschem, mit Schlesischem, Pommerischem, denn rund 120.000 Neubürger zogen aus den Vertreibungsgebieten des Ostens in die Stadt, wurden hier seßhaft und fühlen sich heute durchaus als Wiesbadener.

Diese Vielfältigkeit im Wesen und Aussehen Wiesbadens macht einen der Unterschiede zu der Nachbarstadt Mainz aus, auch zu Frankfurt und Darmstadt, homogene Städte, mit denen Wiesbaden, heute Hauptstadt des Bundeslandes Hessen, das Trio der wichtigsten Städte im Rhein-Main-Gebiet bildet, in einem Spannungsfeld, das gewiß jenem im nordrhein-westfälischen Ruhrgebiet oder im Rhein-Neckar-Raum, um nur zwei Beispiele zu nennen, vergleichbar ist.

In diesem Spannungsfeld behauptet die Stadt Wiesbaden ihr eigenes, in Jahrhunderten gewachsenes Profil. Das, was an Geschichte sich in dieser Stadt abgespielt hat, was die Zeitläufe schufen, zerstörten und an Urbanität wachsen ließen, pflegen die Wiesbadener heute sorgfältig und liebevoll. Das ist nicht Ausdruck einer restaurativen Haltung, sondern neu erwachten Geschichtsbewußtseins und ein selbstbewußtes Bekenntnis zur eigenen Vergangenheit. Vor allem das 19. Jahrhundert hat diese Stadt geprägt. Zeugen aus dieser für die Stadt Wiesbaden wichtigsten Epoche finden sich auf Schritt und Tritt, sind entscheidender Teil dessen, was heute den Reiz, die Atmosphäre und den Charme dieser Stadt zwischen Rhein und Taunus ausmachen.

Selbstverständlich reicht die Geschichte der Stadt viel weiter zurück. Sie beginnt gleichsam wie erwartet: mit der römischen Besatzung zu Beginn der modernen europäischen Zeitrechnung vor rund zweitausend Jahren. Wiesbaden, das die Römer Aquae Mattiacae nannten, ein Vorort der Civitas Mattiacorum, war einer der nördlichsten Stützpunkte der römischen Heere im Kampf gegen die Germanen. Etwa 20 Kilometer nördlich verlief die große Befestigungsanlage, der Limes, von dem an der Straße von Wiesbaden nach Limburg noch die Reste des Walls und ein rekonstruierter Wachturm zu sehen sind. Aquae Mattiacae hatte auf dem Heidenberg ein kleines Kastell, eine Nebenanlage des großen Castellums Moguntiacum, dem römischen Mainz, links des Rheins. Die römische Siedlung hatte aber nicht nur eine wichtige strategische Bedeutung, sie war auch Handelsplatz, und sie war ein Badeort. Der römische Schriftsteller Gaius Plinius Secundus (27 – 79 n. Chr.) berichtete von den Wassern der Mattiaker in seiner »Naturalis historia«: »In Germanien gibt es jenseits des Rheins die heißen mattiakischen Quellen, deren Strudel alle drei Tage dampft. An den Rändern setzt das Wasser einen Sinter ab.« Ein findiger Römer stellte daraus Haarfärbemittel her, das sich bei den Römern großer Beliebtheit erfreute und zu einem Exportartikel wurde. Der römische Dichter Martial (zwischen 38 und 41 bis bald nach 100 n. Chr.) beschrieb seine Wirkung in einem Epigramm: »Der chattische Sinter macht die teutonischen Haare glänzender, (wenn du ihn gebrauchst) wirst du die Haare (der Gefangenen) übertreffen. Wenn du die Farbe der Haare verändern willst, die durch Alter ergraut sind, dann nimm mattiakische Kugeln, reiße sie nicht aus, was soll dir der Kahlkopf.«

Ausgrabungen haben bewiesen, daß die Römer bereits um die Mitte des 1. Jahrhunderts massive Bäderanlagen betrieben, in die das aus gefaßten Quellen sprudelnde heiße Wasser durch Bleirohre eingeleitet wurde. Legionäre hatten sie gebaut, sie dienten Angehörigen des römischen Heeres und des Trosses als Heilbad – der Anfang der Kur in Wiesbaden.

Rund um die römische Siedlung und das Castellum gab es zahlreiche Villen und ländliche Anlagen, durch ein gut ausgebautes Straßennetz miteinander verbunden. Das Land und die Siedlungen wurden von der römischen Kultur durchdrungen; wichtigstes Relikt dieser Zeit: der Wein, der seither hier angebaut wird, in Wiesbaden und im westlich gelegenen benachbarten Rheingau, einem der reizvollsten Weinbaugebiete Deutschlands, dessen Riesling in aller Welt geschätzt wird. Das Wiesbadener Museum bewahrt sehr viele Funde aus römischer Zeit auf, darunter Reste eines Mithras-Tempels, der einst eine Länge von 13,10 m und eine Breite von 7,30 m hatte, teilweise in anstehenden Fels gehauen war, um ihn der natürlichen Höhle anzugleichen, in der Mithras den Stier getötet haben soll. Der Kult hatte seinen Ursprung im Iran, verbreitete sich rasch im römischen Reich bis nach Germanien. Der getötete Stier war Sinnbild für Leben und Vegetation; über dem Leib des getöteten Stieres wurde ein Liebesmahl gefeiert, der Einsetzung des Sonnengottes, Symbol allen Lebens, gehuldigt.

Im Stadtbild selbst erinnert die Heidenmauer an die römische Vergangenheit, die unter Kaiser Valentinian (zwischen 364 und 375 n. Chr.) begonnen wurde, fast 500 m lang war, aber nie fertiggestellt wurde; das Römertor ist eine Nachbildung von 1900. Die römische Epoche Wiesbaden endete mit den Niederlagen des römischen Heeres in der Völkerwanderungszeit durch die alamannische Landnahme im 3. und 4. Jahrhundert. Die Alamannen und später die Franken gründeten eigene Siedlungen, ein neues Kapitel der Wiesbadener Geschichte begann.

Es war während vieler Jahrhunderte eine bescheidene Entwicklung am Rande der Geschichte; der Ort Wiesbaden war »ein Dorf in der Umgebung von Mainz«, wie es in einer alten Chronik heißt, hatte keine besondere Bedeutung. Fast vier Jahrhunderte lang gibt es in den schriftlichen Überlieferungen keine Nachricht von dem Dorf. Nur gelegentlich wird Wisibadum in Reiseberichten kurz erwähnt, vor allem die Bäder. Die vier Natrium-Chlorid-Thermen waren einziger Anziehungspunkt des Ortes, den Einhart, der Vertraute und Biograph Karls des Großen, auf seinen Reisen zweimal besuchte, 828 und 829. In seinen Reiseberichten von 830 taucht erstmals der Name Wisibada auf, was nichts anderes bedeutet, als »Bad in den Wiesen«. In anderen spärlichen Berichten wird der Ort der Quellen in den Wiesen auch Wisibadum, Wisebadon, Wisibad genannt, seit 1218 dann einheitlich Wisbaden.

Politisch war Wisbaden ein königliches Lehen mit ausgedehnten Forsten im Taunus. 1170 gelangte das Lehen erstmals in den Besitz der Grafen von Nassau und war immer wieder Zankapfel zwischen den Nassauern einerseits und den Eppsteinern und den Kurfürsten von Mainz andererseits, wurde oft gepfändet, wieder freigekauft, wechselte als Lehen und Schenkung häufig den Besitzer, stand während des Mittelalters im Schatten des reichen und mächtigen Mainz.

Kurze Zeit war Wisbaden Reichsstadt. Der die Gemeinde verwaltende Schultheiß wurde vom König eingesetzt, die Bewohner waren dem König tributpflichtig. Die Stadt wurde während der ständigen kriegerischen Auseinandersetzungen immer wieder gebrandschatzt und geplündert, schien zeitweise völlig von der Landkarte verschwunden zu sein, so z. B. 1242, als der Ort völlig niedergebrannt und die Bevölkerung vertrieben wurde – damals stritten sich gerade die Staufer mal wieder mit dem Mainzer Erzbischof und Kurfürsten, der ja Reichskanzler war, die nassauischen Grafen waren – wie so oft – auf der Seite der Verlierer.

Wisibada oder Wisbaden erlebte natürlich auch fröhliche und festliche Tage, meist am Rande der Ereignisse. Zu Pfingsten 1184 hielt Kaiser Barbarossa in der Nachbarschaft Wisbadens, auf der Maaraue, einen festlichen Reichstag ab; drei Tage lang waren 70 Fürsten und viele tausend Ritter aus allen Ländern Europas zusammengekommen, um dem Kaiser zu huldigen. Das mittelalterliche Kaisertum stand auf der Höhe seiner Macht, des Kaisers Söhne wurden zu Rittern geschlagen, der älteste Sohn Heinrich gekrönt. Ob während dieses Treffens Kaiser und Fürsten die Wisbadener Quellen besuchten, darüber schweigen die alten Chroniken. Friedrichs Vorgänger, Kaiser Otto I. weilte zweimal in Wisibada, wie zwei Schenkungsurkunden belegen; damals wurde auch der Grundstein für Wisbadens erste christliche Kirche gelegt, die Mauritiuskirche, deren verschiedene Bauten bis 1850 bestanden; damals brannte sie völlig aus, sie wurde nie wieder aufgebaut, heute erinnert nur noch der Platz gleichen Namens und eine Gedenktafel an das bedeutende alte Gotteshaus.

In den dreißiger Jahren des 13. Jahrhunderts war Wisbaden Reichsstadt, damals hatte Kaiser

Friedrich II., der große Staufer, nach einem heftigen Krach mit den Nassauer Grafen diesen das Lehen Wisbaden entzogen. 1237 feierte Friedrich II., das Pfingstfest in Wisbaden, wo er einige Tage während einer Reise von Marburg nach Frankfurt Station gemacht hatte. Zwei Jahre später fand in Wisbaden die Begegnung Kaiser Balduin II. von Konstantinopel und dem Mainzer Erzbischof Siegfried in der Burg zu Wisbaden statt.

Das mittelalterliche Wisbaden bestand aus drei Teilen: dem befestigten Burgbezirk, dem ländlichen unbefestigten Flecken und dem Badebezirk, Sauerland genannt. 1277 übertrug Rudolf von Habsburg dem Grafen Adolf von Nassau erneut das Lehen Wisbaden mit allen Rechten, und die Eppsteiner und Mainzer versprachen Frieden zu halten. Für den Ort Wisbaden schien eine ruhige Epoche zu beginnen, zumal Graf Adolf von Nassau 1292 zum deutschen König gekrönt wurde. Bereits sechs Jahre später, 1298, erreichten die Eppsteiner, daß Adolf vom Thron gestürzt wurde. Auf Adolfs Stadt Wisbaden fiel kein bleibender Glanz der Königswürde, er hatte nicht in Wisbaden residiert, sich nur zeitweise auf der benachbarten Burg Sonnenberg aufgehalten, die er ausbaute, weil er den Eppsteiner Nachbarn nicht traute. 1298 stiftete König Adolf vor den Toren Wisbadens das Kloster Klarenthal als Hauskloster und Grabstätte der gräflich nassauischen Familie; 1328 wurde des Grafen Adolf Schwester Mechthild in der Klosterkirche beigesetzt, aber schon im 15. Jahrhundert hatte das Kloster keine Bedeutung mehr; es wurde 1559 geschlossen. 1756 wurde die Klosterkirche niedergelegt; die letzten Reste der einst imposanten Anlage wurden 1940 abgebrochen. Ein Nachfolger des deutschen Königs Adolf aus dem Hause Nassau, Graf Adolf

III. (1480–1511), residierte hingegen stets in der Wisbadener Burg, die sich etwa dort befand, wo heute das Herzoglich-nassauische Stadtschloß und das Kavaliershaus stehen.

Ende des 13. Jahrhunderts war der Burgbezirk Wisbadens befestigt worden, Zeitgenossen sprachen von der »Feste Wisbaden, der Burg und Stadt« mit Türmen und Toren, vor den Mauern Wassergräben und ausgedehnte Weiher, die auch der Fischzucht dienten; der letzte, heute noch erhaltene Weiher ist der Teich in der Anlage am Warmen Damm, die 1859/60 entlang der Wilhelmstraße angelegt wurde. Wie Wiesbaden damals ausgesehen hat, hielt Wilhelm Dilich auf seinem Stich von Wisbada aus dem Jahre 1605 fest. Deutlicher zu erkennen und wohl auch genauer gezeichnet war die Stadt in Meissners »Schatzkästlein« von 1624 und in der 22 Jahre später erschienenen »Topographia Hassiae« von Merian. Auf beiden Stichen taucht der Name Wiesbaden bzw. Wißbaden und das Wappen mit den drei Lilien auf. Diese drei Lilien, die seit Anfang des 16. Jahrhunderts im Stadtsiegel verwendet wurden, gaben den Heraldikern Rätsel auf, sind sie doch den Bourbonen-Lilien gleich in Ausführung und Anordnung, aber mit den Bourbonen hatten die Wiesbadener und die Nassauer nichts zu schaffen. Die drei gelben Lilien sind das Zeichen der reinen Gottesmutter, die Farben gelb/blau sind die nassauischen Farben.

Auf diesen alten Stichen ist klar die befestigte Burg zu erkennen, auch die die Stadtsilhouette beherrschende Mauritiuskirche, ferner zwei Stadttürme, einmal die Türme der »stumpfen Pforte«, auch »Stumpert« genannt, das Gefängnis beherbergend, 1817 bei der Stadterweiterung niedergelegt, zum anderen der markante Uhrturm, einst Wahrzeichen der Stadt, der 1873

der Stadterweiterung weichen mußte und dessen Nachbildung heute im Hessenpark im Taunus steht. Beide Stiche zeigen die Stadt nach dem Wiederaufbau, den große, die Stadt fast völlig zerstörende Brände von 1547 und 1561 notwendig gemacht hatte. Damals zählte Wiesbaden knapp tausend Einwohner, die sich bereits seit 1543 überwiegend zur Lehre Luthers bekannten. Die Bewohner ernährten sich von der Landwirtschaft, zogen Vieh heran, bewirtschafteten die ausgedehnten Forsten, trieben Handel – bereits 1367 wird von einem großen Kaufhaus berichtet – waren Lohgerber, Häfner – Ofenkacheln waren eine weithin im Lande geschätzte Wiesbadener Spezialität –, waren Schreiner, Bäcker, Schuster, Schmiede, Ziegler und Wollweber, die die Wolle von den Schafzüchtern im Taunus verarbeiteten. Sie bauten Wein an, hielten viermal im Jahr Märkte ab, von denen nur noch der Novembermarkt, der Andreasmarkt, bis heute erhalten ist, von dem seit einigen Jahren wiederbelebten Wochenmarkt auf dem Schloßplatz abgesehen.

Vor allem aber waren die Wisbadener Gast- und Badewirte. Es gab 13 Badhäuser, in denen das Thermalwasser angeboten wurde. Es waren Gemeinschaftsbäder, in denen Männer und Frauen gemeinsam nackt badeten. Es muß, glaubt man den alten Chroniken, ein lustiges Badeleben gewesen sein. Der Gelehrte Heinrich Heinbusch von Langenstein erzürnte sich 1383/87 in seinem »Tractatus de cursi mundi« über die Ausschweifungen und die Sinneslust des Wisbadener Badelebens, das zwar »die Körper weiß gewaschen«, doch »die Herzen durch Sünde geschwärzt« habe – und dies nicht nur im öffentlichen Gemeinschaftsbad, sondern auch in den Badhäusern der Adligen und angesehenen Bürger. Das heiße Quellwasser, das aus 2.000 Meter

Tiefe mit einer Temperatur von 64 – 68°C emporsteigt, durfte an öffentlichen Brunnen auch für den Hausgebrauch entnommen werden – gegen Gebühr versteht sich. Davon wurde reichlich Gebrauch gemacht und zu allerlei Zwecken. Ob allerdings die Wisbadener und ihre Badegäste mit dem heißen Quellwasser auf der Straße Eier kochten, Geflügel und geschlachtete Schweine brühten, wie 1545 der Mineraloge Georg Agricola berichtete, sei dahingestellt. Fest steht: die Wisbadener Quellen waren weithin bekannt und beliebt, auch bei den Fürsten und geistlichen Herren aus Mainz, die oft hierher kamen, um ihr Zipperlein zu kurieren.

Von den Schrecken und Verwüstungen des dreißigjährigen Krieges erholte sich die Stadt nur sehr mühsam in vielen Jahren. Zu oft war die Stadt geplündert und gebrandschatzt worden von den Soldaten Gustav Adolfs ebenso wie von kaiserlichen Truppen. Die Bevölkerung wurde zum Teil gemordet oder war in die Taunuswälder geflohen. 1646 wohnten noch 51 Bürger in den Mauern der zerstörten Stadt. Es bedurfte großer Anstrengungen des regierenden nassauischen Fürsten, Wiesbaden wieder auf die Beine zu helfen. Erst gegen Ende des 17. Jahrhunderts gelang es Fürst Georg August Samuel durch gezielte Ansiedlungs- und Baupolitik das Siechtum der Stadt zu beenden. Wer bereit war in die Stadt Wiesbaden zu ziehen, blieb 15 Jahre von Gemeindeabgaben befreit und sollte Bauland und Baumaterial kostenlos erhalten. Der Fürst ordnete einen Bauzwang für unbebaute Grundstücke an, ließ Baufluchten und Straßen begradigen, neue Straßen anlegen, die Straßenmauern erneuern, die Mauritiuskirche renovieren und vor den Toren der Stadt einen ersten Kurpark, den »Herrengarten« anlegen.

Das Ergebnis war recht unbefriedigend. Das änderte sich erst gegen Mitte des 18. Jahrhunderts, als Fürst Karl 1734 seine Residenz aus Usingen nach Wiesbaden verlegte. Gedrängt hatte ihn dazu Fürstin Henriette Dorothea, die von ihrem Onkel das Gelände des heutigen Biebricher Schloßparkes am Rhein geschenkt bekam und 1701 hier ein Gartenhaus für sommerliche Aufenthalte bauen ließ. Daraus entstand schon 1703 ein Wohnschlößchen, später kam ein zweiter Bau hinzu, der Anfang für das Biebricher Schloß war gemacht, denn aus beiden Gebäuden wurden der westliche und östliche Eckbau entwickelt, die Maximilian von Welch, der berühmte Festungsbaumeister des Barock, durch zwei Galerien miteinander verband und in deren geometrische Mitte er eine prächtige Rotunde einfügte. 1744 bezog das Fürstenpaar seine neue Residenz, hinter der sich ein sehr weiträumiger barocker Park anschloß. Wiesbaden war jetzt Hauptstadt des Fürstentums Nassau geworden, das gab der Stadt entscheidenden Auftrieb. Nicht nur durch notwendig gewordene Verwaltungsbauten, sondern weil jetzt viele in die Stadt zogen, die Zahl der Bevölkerung wuchs rasch und hatte bald 2.000 erreicht. In den siebziger Jahren wurde das Glücksspiel eingeführt, 1782 rollte erstmals das Roulette und es gab ein fürstlich-nassauisches Lotteriespiel, das Spiel mit dem Glück zog neue Gäste in die Stadt, die Kur blühte auf.

Wie so oft in der Geschichte der Städte wurde auch diese positive Entwicklung durch die politischen Wirren der Zeit, die häufig mit den Städten gar nichts zu tun hatten, dieses Mal durch die Auswirkungen der französischen Revolution gebremst. Die Bevölkerung litt unter den Kriegskontributionen und ständigen Einquartierungen, obgleich es dem Fürsten immer wieder gelang, sein Fürstentum Nassau aus den kriegerischen Auseinandersetzungen der Großmächte herauszuhalten. Aber Nassau diente immer wieder als Durchmarsch- und Aufmarschgebiet großer Heere und Truppenteile. Die Wiesbadener ließen sich in ihrer wirtschaftlichen Tätigkeit nicht behindern, soweit das eben ging. Sie paßten sich an. Das neue prächtige, einem Schloß ähnelnde Badhotel Schützenhof zog trotz der Kriegswirren neue Gäste an, auch Kaiser Josef II. besuchte das Hotel, was nicht nur den Hoteleigner entzückte, sondern die Wiesbadener ganz allgemein, und sie verstanden es, daraus werberischen Nutzen zu ziehen. Schauspieltruppen aus Mainz und Mannheim wurden verpflichtet, um die Gäste zu unterhalten, bald genügten die Hotelsäle nicht mehr, das neugierige Publikum aus nah und fern aufzunehmen, ein großer Saal wurde angebaut für die Theateraufführungen und gesellige Lustbarkeiten.

1806 war der Fürst von Nassau dem Rheinbund beigetreten, dafür erhielt er den Rheingau und durfte sich Herzog nennen. Im gleichen Jahr starb er und mit ihm die Linie der Nassau-Usinger aus. Jetzt herrschten in Nassau die Weilburger, was den Vorteil hatte, daß das Herzogtum Nassau ein einheitlicher Staat wurde mit einer Hauptstadt, nämlich Wiesbaden. Jetzt begann eine rege Bautätigkeit, jetzt erhielt Wiesbaden die bauliche Grundlage, auf der sich die Stadt entwickeln konnte. 1807 bekam der geniale Baumeister Christian Zais (1771–1820) vom Herzog den Auftrag, am hinteren Wiesenbrunnen ein neues Kur- und Gesellschaftshaus zu bauen. Die Wahl der Lage dieses Neubaus überraschte zunächst, war sie doch vom eigentlichen alten Kurzentrum am Kranzplatz weit entfernt. Die Wahl zeigt aber die Weitsichtigkeit von Fürst und Baumeister, denn mit dieser Wahl war der großzügige Ausbau der Residenzstadt markiert, für den Zais weit in die Zukunft reichende Pläne erarbeitete, die er konsequent weiterverfolgte und auf denen seine Nachfolger aufbauen konnten.

Drei Jahre später, 1810, war Zais mit seinem Bau fertig, konnte das neue Kur- und Gesellschaftshaus eröffnet werden. Die Besucher waren von dem Haus und seiner streng klassizistischen Architektur, dem Reichtum seiner Ausstattung entzückt – Zais hatte für die Ausstattung des Hauses Gemälde italienischer Künstler günstig kaufen können, die Napoleon bestellt hatte, jetzt aber nicht mehr abnehmen konnte, denn seine kaiserliche Herrlichkeit war zu Ende. Architektur und Ausstattung begeisterten: »Pästums Hallen, voll Pracht, von marmornen Säulen gestützt, Bachäs Reize sind hier warm berauschend erblüht«, schrieb ein Chronist, und Goethe notierte 1814, während seines ersten Kuraufenthaltes in Wiesbaden: »Den Freunden der Baukunst wird der große Kursaal sowie die neuen Straßen Vergnügen und Muster gewähren«. Dieser Bau von Christian Zais hatte wesentlich zum weltweiten Ruf der Kurstadt Wiesbaden beigetragen, dieser Bau wurde zum gesellschaftlichen Mittelpunkt. Hier traf sich, was Rang und Namen in der Gesellschaft hatte. Preußens Prinz Wilhelm, die beiden Generale Blücher und Yorck und viele Offiziere tanzten hier zu Ehren Blüchers, den Bezwinger Napoleons, eine festliche Quadrille. Goethe feierte hier seinen 65. Geburtstag an der table d'hôte. Und im gleichen Jahr, 1814, entstand hinter dem Kurhaus der weiträumige Kurpark mit einem großen Weiher, auf dem die Gäste an lauen Sommerabenden romantische Kahnfahrten unternahmen.

Goethe und Wiesbaden, ein besonderes Kapitel, beide haben einander viel gegeben und viel zu verdanken. Zweimal war der Weimarer Minister und Dichter zur Kur in Wiesbaden, Ende Juli bis Mitte September 1814 und vom Juni bis August 1815. Es war für Goethe eine schöpferische Zeit, hier schrieb er viele Gedichte des »West-östlichen Diwans«, darunter die unsterblichen Verse:
»Wenn du dies nicht hast,
Dieses Stirb und Werde,
Bist du nur ein trüber Gast
Auf dieser schönen Erde.«
Er hatte viele, für sein ferneres Leben wichtige Begegnungen und Eindrücke, er hat viel darüber geschrieben, in Briefen, in Tagebüchern und nicht zuletzt in den Aufzeichnungen »Reise am Rhein, Main und Neckar«; hier gab er auch die Anregung, in Wiesbaden Kunstsammlungen anzulegen und ein Museum dafür zu bauen. Es hat rund 100 Jahre gedauert bis dieser Vorschlag Goethes verwirklicht, bis das große Museum gebaut war, in dem die Schätze der Kunst und die Dokumente aus alter Zeit aufbewahrt und ausgestellt werden konnten. Die Wiesbadener haben dem Kurgast aus Weimar dafür ein Denkmal gesetzt: der Olympier thront unter den Säulen des Portikus sitzend vor dem Eingang des Museums.
Goethe gefiel Wiesbaden, die Stadt, ihre Atmosphäre, ihr Charme. Am 13. August 1814 schrieb er an seine Frau Christiane: »Erde, Himmel und Menschen sind anders, alles hat seinen heiteren Charakter und wird mir täglich wohltätiger« und später: »Gebaut wird hier sehr viel, die Anlagen sind höchst verständig und lobenswürdig, die Linien, wonach gebaut werden muß, wohl überlegt. Es gibt Straßen, die der größten Stadt Ehre machen würden.« Über die »so viel be-

suchte, an Ausdehnung und Umfang täglich wachsende Stadt« schrieb er nach Hause: »Hier brauchst du nur eine Viertelstunde Weges zu steigen und du blickst in alle Herrlichkeit der Welt«. Wie Goethe haben nach ihm noch viele weniger bekannte und sehr berühmte Gäste Wiesbadens empfunden, und viele empfinden und erleben es heute nicht anders.
Christian Zais, der Baumeister aus Schwaben, gab Wiesbaden Gestalt und Gesicht, sowohl auf dem Papier als Planer, als auch als Baumeister wichtiger Bauten, dessen strenger klassizistischer Stil auch heute entzückt: das Erbprinzenpalais an der Wilhelmstraße, in dem heute die Industrie- und Handelskammer residiert, das kleine Wohnhaus in der Friedrichstraße, heute Sitz des 1. Polizeireviers und die Anlage des Luisenplatzes, der 1984/85 in seiner alten Form wiederhergestellt wurde und als eines der trefflichsten Beispiele klassizistischer Stadtbaukunst gilt. Leider ist das 1816 von Zais gebaute Hotel- und Badhaus »Zu den vier Jahreszeiten«, das zu den elegantesten und prächtigsten Hotelbauten seiner Zeit gehörte, 1945 den Bomben zum Opfer gefallen und nicht wiederaufgebaut worden.
1817 hatte Wiesbaden 3.800 Einwohner, mehr Menschen als je waren bereit und interessiert, in die Hauptstadt des Herzogtums zu ziehen. Herzog Friedrich August erweiterte seine Residenzstadt und war bestrebt, sie zum Mittelpunkt seines Landes zu machen. Er verfügte den Abbruch der Stadtbefestigungen, die ohnehin keinen militärischen und strategischen Wert mehr hatten. Baudirektor Götz entwarf neue Straßen, Zais baute seine klassizistischen Bauten, arbeitete mit an einer strengen Bauordnung, die der Stadt ein einheitliches gefälliges Gesicht geben sollte und tatsächlich gegeben hat. 1823 setzte ein

Bauboom in der nassauischen Hauptstadt ein, der in drei Jahrzehnten die Stadt zu dem werden ließ, was sie heute noch ist: eine großzügig angelegte, weiträumige Stadt mit breiten Straßen, weiten Plätzen, vielen Grünanlagen, mit einer von der Kur bestimmten Infrastruktur. 1823 entstand die Trinkkur am Kranzplatz, 1824 wurde auf der Platte, 500 Meter über der Stadt auf dem Taunuskamm, das Jagdschloß des Herzogs gebaut; 1865 hielt er dort die letzte Jagdgesellschaft, bevor er 1866 sein Herzogtum verlor, 1913 erwarb die Stadt das prunkvolle Gebäude. 1945 wurde es bei einem Luftangriff zerstört und ist seitdem eine stetig verfallende Ruine. 1827 baute Heinrich Jacob Zengerle die längste freitragende Säulenhalle Europas: die Brunnenkolonnade, an der nördlichen Seite des Kurhauses, zwei Platanenreihen wurden gepflanzt, umgrenzten die Grünanlage vor der Front des Kurhauses, das sogenannte Bowling Green; 1839 wurde die südliche Kolonnade, die heutige Theaterkolonnade, errichtet.

1816 hatte Herzog Wilhelm seine zweite Frau Pauline geheiratet, eine sozial sehr engagierte Frau, an die heute noch das Paulinenstift erinnert, 1839 starb er, sein Sohn Adolf folgte auf den herzoglichen Thron, er setzte die Bauten des Vaters fort, fügte neue hinzu. Das 1837 begonnene Stadtschloß wurde zügig weitergebaut nach den Plänen des Darmstädter Architekten Georg Moller, einem Schüler Weinbrenners. Auf einem Eckgrundstück löste Moller den Schloßbau im frühklassizistischen Stil auf sehr phantasievolle Weise: eine Rundung verbindet die beiden Schloßflügel, das Haus sieht nicht aus wie ein Schloß, sondern wie ein bürgerliches Haus, übertriebene fürstliche Repräsentationen waren damals bei den Bauten verpönt. Aber innen wurde das Schloß mit herrlichen Fußböden,

Decken und Wandmalereien, mit kostbaren Hölzern, seidenen Tapeten und erlesenen Möbeln ausgestattet; eine Reithalle wurde gebaut, ein prachtvoller Musiksaal eingerichtet; die Reithalle mußte 1957 dem Neubau des Plenarsaals des Hessischen Landtags weichen, der heute, demokratischer Nachfolger des Volkssouveräns, im Schloß tagt. 1842 wurde das erste repräsentative Regierungsgebäude an der Ecke Luisenstraße/Marktstraße im Stile der florentinischen Renaissance von dem 32jährigen Architekten Carl Boos errichtet, im gleichen Jahr begannen die Bauarbeiten für das kleine Schlößchen, in das 1845 Herzogin Pauline, die Witwe des früh gestorbenen Herzogs Wilhelm einzog; die Wiesbadener vermissen das »Paulinenschlößchen«, das im 2. Weltkrieg zerstört wurde, schmerzlich, denn in beherrschender Lage oberhalb der Wilhelmstraße setzte es mit seiner freundlichen Architektur einen geschmackvollen architektonischen Akzent.

1844 heiratete Herzog Adolf Elisabetha Michailowna, eine Nichte des russischen Zaren, eine bildhübsche junge Frau, die ihm eine Million Rubel Mitgift ins Haus brachte, für den baulustigen Herzog eine willkommene Gabe. Zehn Monate später starb die junge Herzogin bei der Geburt ihrer Tochter. Zur Erinnerung an die Herzogin beauftragte der Herzog seinen Baumeister Philipp Hoffmann, eine Kirche im russisch-orthodoxen Stil auf dem Neroberg, hoch über der Stadt zu bauen. Hoffmann hielt sich fast ein Jahr lang in Rußland auf, um dort die russische Kirchenarchitektur zu studieren. Zurückgekehrt entwarf er Pläne für die Grabkirche der Herzogin Elisabeth. Am 25. Mai 1855 wurde die Kirche geweiht, in der Nacht zum 26. Mai wurden die sterblichen Überreste der Herzogin Elisabeth und ihrer Tochter feierlich in die neue Kirche

überführt und in einem Sarkophag, den der Münchner Bildhauer Emil Alexander Hopfgarten aus weißem Carrara-Marmor gemeißelt hatte, beigesetzt. Die fünf goldenen Kuppeln der Kirche, von den Wiesbadenern »Griechische Kapelle« genannt, grüßen seitdem strahlend vor dunklem Wald den in Wiesbaden Ankommenden schon von weitem, sie sind ein romantisches Wahrzeichen der Stadt geworden.

Immer weiter wuchs die Kur- und Residenzstadt, die Kur wurde wichtigster Wirtschaftsfaktor, errang zunehmende Bedeutung für Wiesbaden. Von den 13.500 Einwohnern des Jahres 1845 sind 2.400 als »Gesinde« für Gäste der Kurstadt tätig. An diesem Kurstadt-Wachstum änderten auch die politischen Unruhen des Jahres 1848 nichts. Wie überall erhoben auch die Nassauer Forderungen nach allgemeinen und gleichen Wahlen. 30.000 Bürger und Bauern demonstrierten auf dem Platz vor dem Schloß, sie waren aus dem ganzen Land zusammengekommen. Ihr Sprecher August Hergenhahn trug dem gerade aus Berlin zurückgekehrten Herzog ihre Forderungen vor, der Herzog versprach darauf einzugehen. Aber der Weg zur Demokratie war noch weit. Zwar gab es auf der Grundlage der konstitutionellen Monarchie einen Landtag, der im Mai 1848 gewählt wurde. August Hergenhahn wurde erster Minister des herzoglichen Kabinetts. Aber auch er konnte die Unzufriedenheit der Nassauer zwar mildern, ihren Drang nach Freiheit und Mitbestimmung nicht aufhalten. Es kam zu einem Aufruhr, der nur mit Hilfe eiligst herbeigerufener preußischer und österreichischer Truppen niedergeschlagen werden konnte.

Nassau war ein armes Land, darüber konnte auch der Glanz in der Residenzstadt, obgleich zu anderen Hauptstädten anderer deutscher

Fürstentümer bescheidener, unaufdringlicher, nicht hinwegtäuschen. Die herzogliche Regierung bemühte sich, die Wirtschaftskraft des Landes zu stärken, ihre Mittel waren ebenso beschränkt, wie die Erfolge begrenzt. 1857 fuhr von Wiesbaden die Rheinstrecke hinab die Eisenbahn nach Niederlahnstein, einige Jahre zuvor war der erste Zug die Taunusstrecke hinauf ins benachbarte Bad Schwalbach gedampft. Am Kranzplatz wurde eine neue Trinkhalle zur weiteren Belebung der Kur errichtet. 1862 vollendete Carl Boos die Marktkirche als evangelische Hauptkirche der Stadt, eine dreischiffige Basilika mit fünf Türmen, die seitdem die Silhouette der Stadt beherrschen. Nach dem Vorbild Karl Friedrich Schinkels errichtete Boos das Gotteshaus in neugotisch-romantisierendem Stil, die Ziegelsteine als ausschließliches Baumaterial unterstrichen noch diesen Charakter. Im Innern der Kirche dominieren die vier überlebensgroßen Apostelfiguren von Emil Alexander Hopfgarten in dem sparsam ausgestatteten Kirchenraum. Bereits 1844–49 baute Philipp Hoffmann die erste katholische Hauptkirche in Anlehnung an den gotischen Stil, 1856 wurde die Fassade fertig, die Kirche mit ihren schlanken Türmen beherrschte das Bild des Luisenplatzes.

Immer internationaler wurde das Publikum, das für kürzere oder längere Zeit in Wiesbaden weilte. 1862 besuchte der russische Schriftsteller Fjodor Michailow Dostojewski Wiesbaden, er verbrachte bittere Wochen in der Stadt, deren Spielbank und das, was er als Glücksspieler dort erlebte, bildete die Grundlage für seinen Roman »Der Spieler«. Richard Wagner wohnte längere Zeit in einer Villa am Rhein, komponierte dort das Vorspiel und Teile der »Meistersinger von Nürnberg«. Später weilten Brahms und Reger in Wiesbaden; Brahms schuf hier seine 3., die Wiesbadener Sinfonie, und etliche Lieder, Max Reger verbrachte seine Militärzeit in Wiesbaden. Immer mehr Engländer kamen in die Stadt. Ihnen wurde eine »anglikanische Kirche« am Warmen Damm gebaut, sie wurde 1865 geweiht, ihren Turm freilich erhielt sie erst 25 Jahre später. Auch dieses eine herzogliche Investition zur Förderung der Kur.

Für die Kur tat der Herzog viel, von der Industrie hielt er nichts, sie wollte er nicht in seiner schmucken, eleganten Residenzstadt, sie mußte draußen bleiben in Biebrich, am Rheinufer oder noch weiter weg, eine Politik, die sich in späteren Jahrzehnten, als es mit dem Fürstentum und dem deutschen Kaisertum zu Ende war, als sehr kurzsichtig erweisen sollte. Und mit dem Herzogtum Nassau war es 1866 zu Ende. Nassau war im preußisch-österreichischen Krieg auf der Verliererseite. Preußen annektierte das kleine Herzogtum und verleibte es seiner Rheinprovinz ein. Zwar wurde Wiesbaden Sitz des preußischen Regierungspräsidenten, aber der Hauptstadtglanz schien entschwunden.

Ja, so schien es. Das Gegenteil trat ein. Wiesbaden erlebte jetzt seine glanzvolle Zeit, seinen Aufschwung zur Weltkurstadt, in die jährlich mehr Besucher und Gäste kamen als die Stadt Einwohner zählte. Denn Wiesbaden erfuhr sehr schnell die Gunst der preußischen Könige und späteren deutschen Kaiser. Vor allem Wilhelm II., aber auch Wilhelm I. und der nur kurz regierende todkranke Friedrich III. fühlten sich in Wiesbaden wohl und besuchten mit ihrem ganzen Hofstaat jährlich die Stadt und machten sie ein paar Wochen lang zum Mittelpunkt des Reiches. Die Stadt hatte außerdem das Glück, in jener Epoche eine Reihe von Persönlichkeiten zu haben, die die Stadt zu fördern wußten: Kurdirektor Ferdinand Hey'l hob die Kur auf weltstäd-

tisches, ja internationales Niveau und verstand es, sehr reiche Leute nach Wiesbaden zu ziehen, die hier ihren Dauerwohnsitz einrichteten; es gehörte in jenen Jahren vor dem ersten Weltkrieg gleichsam zum guten Ton, in Wiesbaden, des Kaisers Lieblingsstadt, zu wohnen.

Carl von Ibell, der die persönliche Gunst Kaiser Wilhelms II. besaß, hat die Stadt zu einer in jeder Weise repräsentativen weiterentwickelt durch zahlreiche große Bauten, z. B. den neuen Hauptbahnhof, das neue Theater, das neue Rathaus, durch den Ausbau der Wasserversorgung und die Anlage eines für damalige Zeiten sehr modernen Kanalnetzes, durch den Bau neuer Schulen, die Weiterentwicklung der Kureinrichtungen, den Bau des Museums, und nicht zuletzt wurden während seiner Amtszeit jene stattlichen Villen östlich der Wilhelmstraße und im Nerotal gebaut, die noch heute vom damaligen Glanz der Stadt künden. Ibell setzte auf die Kur, auf den Geldfluß aus den Kapitalrenten reicher Leute, auf den kaiserlichen Hof, der jährlich im Mai zur Kur kam und der Stadt internationales Ansehen brachte, er widersetzte sich aber jeder Form von Industrialisierung – die stadtentwicklungspolitische Linie der nassauischen Herzöge konsequent fortsetzend –, er befürchtete vor allem eine Verproletarisierung der Wiesbadener Bevölkerung durch die Industriearbeiter, darin sah er den Keim gesellschaftlichen Zerfalls. Diese Kommunalpolitik wirkte sich später, nach dem Ende des Weltkrieges und damit des Kaiserreiches als recht verhängnisvoll für die Stadt aus.

Doch an das Ende kaiserlicher Glorie und höfischer Pracht wollte in den letzten beiden Jahrzehnten des 19. Jahrhunderts niemand glauben. Warum auch? Alles stand zum Besten in der Stadt, und alle waren zufrieden und sonnten sich im Glanz der eleganten Kurstadt mit ihrem vielfältigen gesellschaftlichen Leben. Nur die wenigsten der 50.000 Einwohner, diejenigen, die man auch damals noch »das Gesinde« nannte, jene, die durch ihre Arbeit für das Wohl der Gäste und reichen Leute sorgten, waren unzufrieden, meldeten immer wieder ihre Forderungen an, aber sie wurden nicht gehört und nicht verstanden.

Ibells Leistungen sind fortwirkender Teil des neuzeitlichen Wiesbadens geworden, weil er klug und energisch die Infrastruktur der Kurstadt und der bevorzugten Wohnstadt Wiesbaden ausbaute. Ein Gaswerk und ein Elektrizitätswerk nahmen ihren Betrieb auf, hell waren nachts die Straßen beleuchtet, der öffentliche Nahverkehr wurde modernisiert, die Pferdebahn, die seit 1875 die Kurgäste beförderte, wurde 1900 durch die »Elektrische« abgelöst, ein neuer Schlacht- und Viehhof stellte die Versorgung der vielen Gäste und der Bürger sicher. Vor allem aber waren es zahlreiche neue, repräsentative Bauten, die während Ibells Amtszeit entstanden und die heute noch gültige städtebauliche Akzente im Stadtbild setzten: 1884–87 wurde am Schloßplatz nach den Plänen des Münchner Architektur-Professors Dr. Georg von Hauberisser das »Neue Rathaus« im Neu-Renaissance-Stil gebaut, ein Prachtbau so recht nach dem Herzen der Wiesbadener, dessen 1898 abgeschlossene reiche Innenausstattung dieses großbürgerliche Selbstbewußtsein deutlich widerspiegelte. Das traf auch für das neue Theater zu, für dessen Bau die weltbekannten Wiener Theaterarchitekten Fellner und Hellmer gewonnen werden konnten; nach zweijähriger Bauzeit wurde das Haus in Anwesenheit seiner Majestät Kaiser Wilhelm II. mit festlichem Gepränge eingeweiht. Jetzt war auch der Rahmen

geschaffen für die kaiserlichen Maifestspiele, die ab 1896 Jahr für Jahr mit prunkvollen Aufführungen des kaiserlichen Hoftheaters Berlin das Publikum begeisterten. Nur einen Mangel hatte das neue Theater: es hatte kein Foyer für das festliche Publikum. 1902 baute Felix Genzmer in neobarockem Stil ein Foyer an, dessen goldgesäumter Stuck und dessen prächtige Deckenmalerei eine festliche Atmosphäre für die Theaterbesucher schufen, es war und ist der würdige Rahmen für die Selbstdarstellung des Publikums in festlicher Garderobe – bis auf den heutigen Tag.

1881 war auf dem Hausberg der Wiesbadener ein neues Hotel gebaut worden, seit 1888 fährt eine mit Wasserballast betriebene Drahtseilbahn, die Nerobergbahn, auf den Hausberg – der seinen Namen nicht von dem berüchtigten römischen Kaiser Nero herleitet, sondern von dem keltischen Wort »ners«, was nichts anderes als Hausberg bedeutet – eine technische Sensation, denn in vier Minuten schaffte die kleine Bahn bei einer Steigung von 25% über einen Viadukt, der das Nerotal überspannt, den Höhenunterschied von 80 Metern auf den 440 Meter hohen Neroberg. Noch heute ist die Nerobergbahn für Wiesbadener und ihre Besucher eine besondere Attraktion.

Die Kureinrichtungen auf dem Kranzplatz erhielten mit der 1890 gebauten neuen Trinkhalle endlich den entsprechenden baulichen Rahmen für die Trinkkur; der Kochbrunnen, eine der drei Hauptthermen Wiesbadens, wurde in einem überdachten Pavillon zur Schau gestellt, die Einheimischen nennen den kleinen achteckigen Pavillon den »Kochbrunnentempel«. Am Kranzplatz, dem alten Kurzentrum, entstanden 1900 und 1905 die beiden prächtigen Badehotels »Hotel zur Rose« und »Palast-Hotel«.

1907 war es dann endlich soweit: das neue, nach langer kommunalpolitischer Diskussion und vielen Widrigkeiten von dem Münchner Architekten Professor Friedrich von Thiersch gebaute und prächtig ausgestattete neue Kurhaus konnte eröffnet werden. Fünf Millionen Goldmark hatte der Bau gekostet, der das Zais'sche Kur- und Gesellschaftshaus ablöste, das schon lange nicht mehr den Bedürfnissen der Weltkurstadt, die jährlich mehr als 130.000 Gäste kommen und gehen sah, erfüllen konnte. Die gewaltige, am Klassizismus orientierte Architektur des Baues und seine kostbare Innenausstattung begeisterten nicht nur den Kaiser, in dessen Anwesenheit der Neubau eingeweiht wurde, sondern alle Wiesbadener und alle Gäste, die diesen gesellschaftlichen Mittelpunkt der Kurstadt ebenso bewunderten, wie einst Goethe das Zais'sche Haus. Das Wiesbadener Kurhaus, meinten die Zeitgenossen, sei das schönste Kurhaus der Welt; das meinen auch heute noch viele, nicht nur begeisterte Wiesbadener. Wenn es jetzt für 54 Millionen Mark nach streng denkmalschützerischen Maßstäben restauriert und in alter Pracht wieder erstrahlen wird, mag das Wahrzeichen Wiesbadens in aller Welt das wohl beeindruckendste Zeugnis der kaiserlich-wilhelminisch-preußischen Kurstadt Wiesbaden sein, zweifellos ein Baukunstwerk besonderer Art, die Glanzzeit Wiesbadens dokumentierend wie berühmte Dome und Münster die Größe und Bedeutung mittelalterlicher Städte, oder fürstliche Residenzen die Macht und den Reichtum barocker Herrscher.

Überall in der Stadt paßte sich die Architektur von Wohn- und Geschäftshäusern der schmuckbeladenen Fassadenarchitektur des Großbürgertums an. Überall wurde gebaut und umgebaut, die Stadt wuchs in jenen Jahrzehnten aus sich heraus, die Zahl der Einwohner verdoppelte sich, mehrere Kirchen entstanden, z. B. die Ringkirche am westlichen Ende der Rheinstraße, schon damals eine vierspurige Straße mit doppelter Baumallee, die einen breiten Fuß- und Spazierweg in der Mitte säumte, oder Maria Hilf auf der Höhe der Platterstraße. Das alte Nassauische Hoftheater an der oberen Wilhelmstraße wurde abgerissen, dort entstand das Luxushotel Nassauer Hof, gegenüber dem Zais'schen Badehotel Vier-Jahreszeiten, dazwischen das Denkmal Kaiser Friedrichs III., dem 99-Tage-Kaiser, der Wiesbaden förderte, wie sein Vater und sein Sohn.

1906 wurde der neue Hauptbahnhof von Kaiser Wilhelm II. eingeweiht, ein Kopfbahnhof im Süden der Stadt, großzügig, repräsentativ für die kaiserliche Ankunft; zu Pferde ritt der Monarch die holzgepflasterte Wilhelmstraße entlang, die Wiesbadener jubelten ihrem Kaiser und seinem Gefolge begeistert zu, bevor er sich ins Schloß zurückzog, wo er während seiner Wiesbadener Aufenthalte wohnte. Ach, es war eine Lust, in Wiesbaden, dieser bevorzugten Stadt zu leben, es war eine Lust im neuen Kaiser-Friedrich-Bad die Kur zu nehmen, in jenem Kurmittelhaus, das 1913 eröffnet wurde, ein herrlich ausgestattetes Badehaus, mit einem römisch-irischen Bad, die Badekur darstellenden Fresken und Jugendstilornamente all über all an den Wänden und Decken und in den Fenstern.

Im gleichen Jahr wurde an der Rheinstraße ein neues Bibliotheksgebäude errichtet, die heutige Hessische Landesbibliothek, wurde der Neubau des Museums begonnen nach Plänen von Theodor Fischer und es wurde 1915, mitten im Krieg, eröffnet. Auf der Biebricher Höhe, genau an der Stelle, an der die Grenzen der beiden Städte Wiesbaden und Biebrich zusammenstießen, ließ

die Familie des Sektherstellers Henkell von Paul Bonatz ein neues Gebäude bauen, das zu den schönsten Bauten des Berliner Architekten zählt und dessen repräsentative Innenausstattung ebenso vom Glanz Wiesbadens kündet, wie viele öffentliche Bauten in der Stadt. Dieses Haus hat nichts, aber auch gar nichts von einem Funktionsbau, von jener technischen Tristesse, die die Industrie- und Verwaltungsbauten kennzeichnen, die nach dem 2. Weltkrieg auch in dieser Stadt entstanden.

Mit all dieser Pracht und Herrlichkeit war es mit dem Ende des 1. Weltkrieges vorbei. Die Weltkurstadt Wiesbaden hatte nicht nur ihren Förderer, den Kaiser, der im holländischen Exil ein bescheidenes Dasein fristete, sondern auch ihr Publikum mit einem Schlag verloren. Während des Krieges wich der Glanz nüchternem Feldgrau: als im Oktober 1918 Wiesbaden seinen ersten Fliegerangriff erlebte, der etliche Wohnhäuser zerstörte und 12 Tote zurückließ, begriffen manche Wiesbadener erschrocken, daß der künftige Alltag ein anderer sein werde, als der vor vier Jahren. Mit der Straßenbahn wurden die Verwundeten vom Bahnhof ins Krankenhaus gefahren, das Lazarett geworden war, das letzte Stück des steilen Wegs die Schwalbacher Straße hinauf wurden die Soldaten auf der Bahre getragen, am Straßenrand standen betroffen die Passanten, der Krieg hatte die Kurstadt eingeholt.

Grauer noch wurde der Alltag und schrecklicher, als Mitte Dezember 1918 französische Besatzungstruppen einrückten; Schikanen waren an der Tagesordnung, innerer Widerstand gegen Unrecht und militärische Gewalt als Ausdruck einer von Rachegefühlen und Bestrafungsaktionen getragenen Siegerpolitik wuchs bei der Bevölkerung; niemand hatte für die widersinnige Anordnung des französischen Gene-

rals Verständnis, daß »den Herren Offizieren und den französischen Besatzungstruppen auf der Straße auszuweichen und ihnen genügend Platz zu machen ist«. Die Inflation traf die Wiesbadener besonders hart; viele verloren ihr Geld, viele reiche Leute wurden zu Sozialfällen, der mit der Ibellschen Politik angestrebte Reichtum der Stadt aus Kapitalrenten zerstob wie ein staubiges Skelett. Geschürt wurde der Widerstand der Wiesbadener durch die von der französischen Regierung gestützten Versuche, die Rheinlande vom Deutschen Reich abzuspalten; 1923, beim Dorten-Aufstand, kam es zu erheblichen Unruhen in der Stadt, die Versuche, in Wiesbaden eine »rheinische Republik« von Paris' Gnaden zu bilden, schlugen fehl.

Die wirtschaftlichen Schwierigkeiten machten der Stadt schwer zu schaffen. Hunger herrschte in der Stadt und nackte Not, denen auch die Stadtküchen und die »Speisungen der Armen durch Wohltätige« nur wenig abhelfen konnten. Es fehlte an Kohlen, viele froren jämmerlich, im Winter mußten die Schulen geschlossen werden. Es fehlten Wohnungen, Wohnungsgenossenschaften der Stadt errichteten neue Wohnviertel und Wohnhöfe im Rheingauviertel, an der Westerwald- und Lahnstraße. Mit allen Kräften arbeiteten die Wiesbadener trotz Weltwirtschaftskrise, trotz Hoffnungslosigkeit und Armut gegen die Widrigkeiten der Zeit an. Die Reparationsleistungen ließen kaum Hoffnung aufkommen. Große Erwartungen setzten nicht nur die Wiesbadener in die Verhandlungen, die der deutsche Außenminister Walter Rathenau 1921 mit dem französischen Minister Louis Loucheur in Wiesbaden über die Senkung und Streckung der Reparationszahlungen führte, leider ohne das gewünschte Ergebnis.

Durch Strukturveränderungen versuchte die Regierung in Berlin die Not in den Städten zu steuern. Wirtschaftlich schwache Gemeinden wurden zusammengelegt, so kamen 1926 die finanziell völlig darniederliegende Stadt Biebrich zu Wiesbaden, ferner Schierstein und Sonnenberg; zwei Jahre später wurden die Ortschaften Bierstadt, Dotzheim, Erbenheim, Frauenstein, Igstadt, Kloppenheim, Heßloch und Rambach eingemeindet. Wiesbaden zählte jetzt 150.000 Einwohner. Das half den Wiesbadener Finanzen wenig, denn fast die Hälfte der Bewohner fristete ihr Dasein nur durch die Zahlungen der Sozialhilfe. Ein Sparkommissar zog ins Rathaus, aber die Auswirkungen der Weltwirtschaftskrise waren stärker als alle Bemühungen. Erst nachdem 1930 die Besatzungstruppen abgezogen waren, schien die Stadt wieder atmen zu können. Mühsam wurde versucht, die Kur wieder zu beleben, der reiche Apotheker Adam Herbert und der nach Amerika ausgewanderte Hugo Reisinger stifteten der Stadt die gegenüber dem Hauptbahnhof liegenden Herbert-Reisinger-Anlagen, die seit 1932 die großzügige städtebauliche Ouvertüre zur Stadt bilden; 1934 konnte das von Geheimrat Fritz von Opel seiner Heimatstadt Wiesbaden geschenkte Opelbad auf dem Neroberg eröffnet werden – beides Attraktionen, die die Bemühungen der Rathauspolitiker unterstützten, die Kur wieder zu beleben. Die nationalsozialistische Diktatur und die geänderten gesellschaftlichen Verhältnisse im Reich erschwerten diese Bemühungen erheblich. Ausländische Gäste kamen spärlich, die Zeiten waren so unsicher, die Deutschen schienen so gewalttätig. Viele waren es in der Tat. 1938 erreichte die Verfolgung der Juden einen ersten Höhepunkt: die 1869 von Philipp Hoffmann gebaute Synagoge auf dem Michelsberg

ging in Flammen auf. Viele Juden verließen die Stadt, gerade noch rechtzeitig, bevor ihre Glaubensbrüder, alle angesehene Bürger der Stadt, mit Sammeltransporten in die Vernichtungslager abtransportiert wurden. Auch in Wiesbaden ging das Gespenst der Angst um. Es lähmte die Lebensfreude.

Nichts war von Zustimmung oder Begeisterung zu spüren, als 1939 Hitler den Krieg vom Zaun brach, die Stimmung war bedrückt, viele verzweifelten, die meisten hatten Angst. Sie steigerte sich mit den Jahren, aber sie wurde ertragen, nicht mit Gleichmut, sondern aus Anpassungszwang, der die Menschen gelähmt hatte. Als die Bomben die Stadt zerstörten, die Wiesbadener in einer Nacht über 1.000 Tote und 28.000 Obdachlose beklagten, herrschte nur noch ein Wunsch: hoffentlich ist dieser wahnwitzige Krieg bald zu Ende. Am 28. März 1945 besetzten amerikanische Truppen die Stadt, die sich, dank des unerschrockenen Einsatzes einer handvoll Männer, die es wagten, sich dem verbrecherischen Führerbefehl der verbrannten Erde zu widersetzen, kampflos ergeben hatte.

Wie überall in Deutschland spürten auch die Wiesbadener die Folgen der totalen Niederlage nach dem totalen Krieg. Wie überall in Deutschland fanden sich aber auch in der ramponierten Stadt Wiesbaden Frauen und Männer, die bereit waren anzupacken, ungeachtet ihres persönlichen Schicksals während der faschistischen Terrorherrschaft, die auch in Wiesbaden ihre unverwischbaren Spuren in der Stadtgeschichte hinterlassen hat. Erinnerungen an Verbrechen, an Gewalt, an Mord, Erinnerungen, die sich nicht, wie nach dem ersten Weltkrieg, in Wut entladen konnten, sondern die in eine verdrängende Trauer mündeten. Und jeder mußte mit der Not, dem Hunger, dem Elend fertig werden,

es waren schlimme Jahre, es schien keine Hoffnung mehr zu geben auf eine Zukunft der Stadt und für die Menschen.

Langsam nur lichtete sich die Nacht und ging über in einen grauen Morgen. Etliche gab es, die hatten Mut zum Neuanfang, zum Beiseiteräumen der Ruinen und des Schutts, nicht nur in den Straßen und auf den Plätzen, auch in den Menschen, die sich in ihrer Not und Verzweiflung eingegraben hatten. Die Frauen und Männer der ersten Stunde, wie sie heute gern genannt werden, die den Mut aufbrachten, gegen die Hoffnungslosigkeit, die Verzweiflung, das menschliche Elend anzukämpfen, haben sich ebenso in die Geschichtsbücher der Stadt mit fester Hand eingeschrieben, wie alle die Menschen, die schon in früheren Zeiten immer wieder von vorn anfingen, wenn es darum ging, ihre Stadt wieder aufzubauen, wieder mit Leben zu erfüllen im Glauben an eine bessere menschliche Zukunft. Im Mai 1946 wählten die Wiesbadener ihre erste Stadtverordnetenversammlung; im unmittelbar danach gebildeten Magistrat, den die Stadt verwaltenden kollegialen Gemeindevorstand, taucht der Name des Mannes auf, der wie kein anderer die Geschicke der Stadt bis 1966 entscheidend gestaltet hat: Georg Buch, erst Stadtrat, von 1954–60 Bürgermeister und von 1960–66 Oberbürgermeister der Stadt, einer der tatkräftigsten und populärsten Politiker, dessen Engagement für seine Vaterstadt und ihre Mitbürger Wiesbaden viel zu verdanken hat.

Wiesbaden, das bei Kriegsende 123.000 Einwohner hatte, mußte fast die gleiche Zahl von Flüchtlingen und Vertriebenen aufnehmen, die in die Stadt kamen, eine neue Heimat zu finden. Sie haben sie gefunden, weil die Wiesbadener sie bei sich aufnahmen, zu ihnen solidarisch standen und mit ihnen gemeinsam die Stadt wiederaufbauten, nicht nur mehr als eine Kurstadt, sondern als ein bedeutendes Verwaltungs- und Wirtschaftszentrum im westlichen Rhein-Main-Gebiet, eine Stadt, die 1946 Hauptstadt des Bundeslandes Hessen wurde und damit einen zusätzlichen Sog ausübte, der es aber auch erleichterte, durch Ansiedlung neuer Verwaltungen und Industrien neue Arbeitsplätze zu schaffen und die notwendigen Infrastrukturmaßnahmen zu finanzieren. In jenen Jahren galt es nicht nur wiederaufzubauen, sondern neu zu bauen für die vielen neu hinzugezogenen Menschen: Wohnungen und nochmals Wohnungen, Schulen, Kindergärten, Sporteinrichtungen; die Versorgungsanlagen für Wasser, Strom und Gas für Bewohner und Industrie mußten wiederhergestellt und beträchtlich ausgeweitet werden. Neue Straßen waren zu bauen, ein öffentlicher Nahverkehr einzurichten, der sich an den Bedürfnissen nicht nur der Kurgäste, sondern der Bevölkerung orientierte. Dabei mußte bedacht werden, daß der gewachsene Charakter, das historische Bild der Stadt nicht zerstört oder gestört wurde, sondern daß sich das Alte mit dem Neuen auf harmonische Weise miteinander verbindet. Das ist weitgehend gelungen. Wiesbaden wurde wieder eine Stadt mit hoher Lebensqualität, in der sich die Wiesbadener wohlfühlen und Gäste aus aller Welt gern zu Besuch kommen, sei es aus welchem Anlaß auch immer.

Bis dahin freilich war es ein beschwerlicher Weg. 1949 wurden der Kochbrunnen und die Trinkhalle wieder eröffnet, ein Jahr später das Kur- und Quellenviertel wieder aufgebaut, fanden die ersten Internationalen Maifestspiele statt, die damit nicht nur eine alte Tradition wieder aufnahmen, sondern sich zu einem Treffpunkt von Ensembles und Künstlern der Theater und Konzertsäle von Moskau bis New York, von Tokio bis Paris entwickelten, ein Theater-Schaufenster in die Welt. 1952 konnte die Brunnenkolonnade wieder eröffnet werden. 1953 Theater und Kurhaus, die beide fast gänzlich ausgebrannt waren nach dem schweren Luftangriff von Februar 1945. 1957 fand der erste Kongreß in der Rhein-Main-Halle statt, die sich, konsequent ausgestattet und erweitert, zu einem internationalen Kongreßzentrum entwickelt hat.

Wiesbaden übte als Landeshauptstadt große Anziehungskraft auf Verwaltungen und die Wirtschaft aus. 1953 wurde das Bundeskriminalamt in Wiesbaden etabliert, zwei Jahre später das Statistische Bundesamt, Banken, Versicherungen, Verlage, die Deutsche Pfandbriefanstalt fanden in Wiesbaden eine neue Heimat. Alte Industriebetriebe vergrößerten sich, neue kamen hinzu und viele Hauptverwaltungen von Konzernen, neue Dienstleistungsbetriebe, die für die ganze Welt arbeiten. Gut ein Drittel aller in Wiesbaden Beschäftigten arbeitet in öffentlichen oder privat-wirtschaftlichen Dienstleistungsbetrieben und Verwaltungen. Die Kur wurde nicht mehr als eine Gesellschaftskur vergangener Zeiten, sondern als eine an den sozialen Bedürfnissen ausgerichtete Kur reaktiviert. Hinter dem Kurpark entstanden neue Kliniken und Sanatorien, wurde ein großzügig konzipiertes Thermalhallenschwimmbad gebaut und die erste und einzige Deutsche Klinik für Diagnostik. Zielbewußt wurde Wiesbaden zu einem Rheumakurzentrum entwickelt, was auch in der Stiftung des »Carol Nachman-Preises der Landeshauptstadt Wiesbaden für Rheumatologie«, der jährlich für besondere Leistungen auf dem Gebiet der rheumatologischen Grundlagenforschung vergeben wird, seinen Ausdruck findet.

Anfang der siebziger Jahre besannen sich die Wiesbadener, Alteingesessene und Neuhinzugezogene, junge Leute und ältere, auf die Geschichte ihrer Stadt, unternahmen große Anstrengungen, ihren Charakter, ihre Stadtgestalt nicht nur zu erhalten und zu pflegen, sondern im Zeichen neu erwachten Geschichtsbewußtseins die Stadt zu restaurieren, ihr Wachstum zu kanalisieren, das Gewachsene, das Alte, das lebendig geblieben war im Stadtbild, nicht nur herauszuputzen, sondern als wesentlichen Bestandteil der Stadt vor dem Zerfall zu retten, Stadtsanierung und Denkmalschutz waren nicht nur Schlagworte, sie wurden städtebauliche Taten; der Kranzplatz, der Luisenplatz, die Adolfsallee, die im Jahr des Denkmalschutzes stilgerecht restaurierte Villa Clementine, eingerichtet als Kulturzentrum, und nicht zuletzt die Fußgängerzone in der Innenstadt haben der Stadt ihre Eigenart erhalten geholfen. Und die Bürger haben mitgemacht, durch Zustimmung und aktive Mitarbeit. Sie haben ihre Häuser restauriert und herausgeputzt – Wiesbaden ist heute eine schöne, saubere, lebendige Stadt mit einem Hauch von Eleganz, ja vielleicht Exklusivität.

Das Alte pflegen, das Neue nicht verhindern, das bleibt Maxime in dieser Stadt. Theater und Kurhaus wurden restauriert und modernisiert, den Bedürfnissen unserer Zeit angepaßt, ohne sie baulich zu verändern. Manches historisch wertvolle Kunstwerk wurde bei diesen Restaurierungsarbeiten wiederentdeckt, z. B. die herrlichen Fresken in der Rotunde des Biebricher Schlosses oder manches verborgene Fachwerk in den Vororten, in Frauenstein etwa, alte Häuser aus dem Mittelalter, an solchen Zeugnissen ist die Stadt nicht reich, wie wohltuend ist die Begegnung mit den wiederhergestellten Zeugnissen aus alter Zeit. Man spürt auf Schritt und Tritt Kontinuität, Lebensqualität und Bekenntnis zum Eigenen, nicht nur mehr zur Funktionalität dessen, was Urbanität ist. Urbanität ist immer auch Menschlichkeit und dies vor allem, seit allen Zeiten.

Nichts erinnert mehr an die schweren Jahre des Wiederaufbaus, an die Not, das Elend. Nur noch in den Erzählungen der alten Leute tauchen diese Erinnerungen auf, und berichtet wird mit Stolz, wie das alles geschafft wurde. Weißt Du noch? Das ist eine oft gestellte Frage, wenn sich die Wiesbadener treffen, um miteinander zu feiern, bei ihren vielen Straßenfesten, beim »theatrium« auf und rund um die Wilhelmstraße und nicht zuletzt bei ihrem »Fest der Feste«, der »Rheingauer Weinwoche«, die zehn Tage lang auf dem Schloßplatz und in der Innenstadt-Fußgängerzone Hunderttausende zum fröhlichen Miteinander bei Wein und Musik zusammenführt. Viele Gäste sitzen an den langen Tischen, drängen sich an den über hundert Weinständen der Rheingauer Winzer, und voller Stolz führen die Einheimischen dann ihre Gäste durch die Stadt. Denn sie lieben ihre Stadt, die menschlich geblieben ist, trotz der vielen Erweiterungen, trotz aller Unterschiede zwischen den noch ganz ländlich gebliebenen östlichen Stadtbezirken und den Industriegebieten am Rhein, zwischen den Verwaltungszentren am Rande der Innenstadt mit ihren kalten Funktionsbauten und den herrlichen alten Villen im Nerotal. Mit Freuden führen sie ihre Gäste hinauf auf den Neroberg, von dem man einen herrlichen Blick über die Stadt bis hinüber nach Mainz, auf der anderen Seite des Rheins hat, bis zum fernen Odenwald, der in schattenhaften Umrissen sichtbar ist. In Gedanken preisen sie Carl von Ibell, der es verhindert hat, daß an den westlichen Hängen des

Nerobergs der Weinberg ausgeschlagen und mit Villen bebaut wurde, und sie loben die, die in jüngster Zeit verhinderten, daß der Neroberg mit Betonbauten bestückt wurde. Der Neroberg verkörpert wie das Kurhaus, die Marktkirche, das Schloß und das alte Rathaus von 1690 so etwas wie das Selbstbewußtsein der Wiesbadener und die Kontinuität der Geschichte. Das gilt auch für die Wilhelmstraße, die sie alle irgendwie in ihr Herz geschlossen haben, diese »Rue«, auf der sie abends und am Sonntag gerne bummeln; sehen und gesehen werden, das war schon immer eine Lebensmaxime in Wiesbaden. Daran hat sich bis heute nichts geändert. Im Gegenteil. Hier ist sich Wiesbaden, ist sich die Kurstadt des 19. Jahrhunderts im 20. Jahrhundert treu geblieben – bei aller Hinwendung zur Gegenwart mit ihren Widersprüchen und Gegensätzen. Aber vielleicht macht gerade dies den Reiz der Urbanität in Wiesbaden aus?

Every region and every town has its special seasons. Wiesbaden has two such seasons: spring and autumn. Wiesbaden is a green town, embedded in the landscape. Over half the town area has not been built on; forests, gardens, parks, and greens determine the spacious townscape. There is no compact old town centre with cosy little lanes and alleys, everything is wide in this city. The broad streets often give the impression of splendid avenues, the squares mostly cover large areas – an essential prerequisite for the elegant impression the city makes. Strictly speaking, Wiesbaden is not a big town. With its 270,000 inhabitants it is medium-sized with many suburbs which are still pretty independent. Some of them have kept an idyllic rural character, others are stamped by large industrial plants. This independence has its roots in history and shows clearly Wiesbaden's low ability to integrate. It was always too occupied with its own intricate history to succeed in making its mark on its surroundings.

This variety in Wiesbaden's character and appearance constitutes one of the differences to adjoining Mainz, but also to Frankfurt and Darmstadt with which Wiesbaden, capital of the Land Hesse, forms the trio of the most important towns in the Rhine-Main region. Notwithstanding the strong influence these other towns exert Wiesbaden manages to maintain a profile of its own. Today the Wiesbadeners tend with loving care what the past created and destroyed and let grow in urbanity during its history. It was especially the nineteenth century that gave the town its individual character, and testimonies from that epoch today make the charm of the town between the river Rhine and the Taunus mountains.

The town's history begins with the Roman occupation about two thousand years ago. Wiesbaden, the Roman Aquae Mattiacae, was a northern base of the Roman legions in their fight against the Teutons. But the Roman settlement was not only of strategic importance, it was also a trading-post and a spa. The Roman author Gaius Plinius Secundus (27 to 79 A. D.) reports in his "Naturalis historia" of the waters of the Chatti. The Roman poet Martial (between 38 and 41 A. D. to soon after 100 A. D.) in an epigram describes their effect: "The sinter from the land of the Chatti preserves the colour of the Teutonic hair. You can make yours fairer than the hair of the prisoners. If you want to change hair gone grey with age, take Mattiac balls and do not pluck out your hair. What good is a bald head to you?"

Excavations have shown that already by the middle of the first century the Romans operated massive bathing facilities which were supplied with bubbling hot water from kerbed springs through leaden pipes. They were built by legionaries and served members of the Roman army and its baggage as therapeutic baths – the beginning of Wiesbaden as a health resort.

In the town itself the Roman past is still present in the Heathen Wall, begun under Emperor Valentinian (between 364 and 375 A. D.) and almost 500 meters (1,650 feet) long, but never completed. The Roman Gate is a replica from 1900. Wiesbaden's Roman epoch came to an end in the third and fourth centuries when, during the time of the migration of peoples, the Alemannians inflicted heavy defeats on the Roman armies and conquered and settled the region. The Alemannians and later the Franks established their own settlements, and thus a new chapter of Wiesbaden's history began.

For many centuries it was to remain a humble development without political impact; the place Wiesbaden was "a village in the vicinity of Mainz", as an old chronicle puts it. In Einhart's itineraries from 830 the name Wisibada appears for the first time, meaning just "baths in the meadows". In other meagre reports the place of the springs in the meadows is called Wisibadum, Wisebadon, Widibad, since 1218 generally Wisbaden.

Politically Wisbaden was a fief from the king, with extensive forests in the Taunus mountains. In 1170 it came into the possession of the Counts of Nassau and then was time and again a bone of contention between those of Nassau on the one hand and the Eppsteiners and the electors of Mainz on the other hand. Often it was seized, then ransomed, changed hands. For some time it was a free imperial town; the mayor administering the community was appointed by the king to whom the citizens were tributary. In continual armed conflicts the town was plundered and laid under contribution time and again, and occasionally it seemed to have ceased to exist altogether, so for example in 1242 when the place was burnt down completely and its inhabitants expelled, the Hohenstaufen dynasty having just quarrelled once again with the archbishop and elector of Mainz – who also was Chancellor of the Reich –, and the counts of Nassau, as so often, being on the side of the losers.

Of course Wisibada or Wisbaden saw merry and festive days as well, usually in connection with great events. At Whitsun 1184 Emperor Friedrich Barbarossa held a ceremonial Imperial Diet in the Maaraue, an island in the confluence of the rivers Rhine and Main near Wisbaden. For three days seventy princes and thousands of knights from countries all over Europe rallied to pay homage to the emperor. The old chronicles say nothing as to whether or not on the occasion of this meeting the emperor and the princes visited the Wisbaden springs. Friedrich's predecessor, Emperor Otto I, twice sojourned in Wisbaden, historical evidence of this being given in two deeds of gift. At that time the foundation-stone was laid for St. Mauritius, Wisbaden's first Christian church, whose various structures existed until 1850 when it was gutted completely and never rebuilt; today only the square of the same name and a commemorative plaque are reminders of the distinguished old house of God.

Medieval Wisbaden consisted of three parts: the fortified castle precinct, the unfortified rural borough, and the bathing precinct Sauerland. In 1277 Rudolf of Habsburg invested Count Adolf of Nassau again with Wisbaden, and Eppstein and Mainz pledged to keep the peace. For Wisbaden this seemed to indicate the beginning of a tranquil period, the more so as Count Adolf of Nassau was crowned German king in 1292. But already six years later, in 1298, the Eppsteiners succeeded in toppling Adolf from the throne. Adolf's town Wisbaden was not left with any lasting splendour of royalty. He had not resided in Wisbaden, only temporarily stayed at neighbouring Sonnenberg Castle which he strengthened because he did not trust his Eppstein neighbours. In 1298 King Adolf established, outside Wiesbaden, the monastery Klarenthal as a private monastery and sepulchre for the family of the counts of Nassau, but already in the fifteenth century it was of no account anymore, and it was closed down in 1559. In 1756 its church was torn down and the last remains were pulled down in 1940.

By the end of the thirteenth century Wisbaden's castle pecinct had been fortified. Contemporaries spoke of "fortress Wisbaden, the castle and town" with towers and gates, with moats and extensive ponds which also served for fish-farming. What Wiesbaden looked like in those days is recorded in Wilhelm Dilich's engraving of Wisibada from 1605. The town is more clearly discernible and probably drawn more exactly in Meissner's "Schatzkästlein" (Treasury) from 1624 and Merian's "Topographia Hassiae" which appeared twenty-two years later. Both engravings show the name Wiesbaden respectively Wißbaden and the coat of arms with three lilies. These three lilies have been used in the town's seal since the early sixteenth century, they are the symbol of the Blessed Virgin, yellow and blue being the Nassau colours.

The just under 1,000 inhabitants of Wisbaden professed in the majority to the Lutheran faith since 1543. They made a living from agriculture, they raised cattle and traded – even as early as 1367 a store is mentioned. They were tanners and potters and stove fitters – stove tiles were a Wiesbaden speciality highly valued in the country. They were joiners and bakers, shoemakers and smiths, brickmakers and wool weavers who made the wool from the Taunus sheep breeders into cloth. They were wine-growers and held markets four times a year, of which only that in November, the Andreasmarkt, has been kept going to this day – apart from the weekly market in the Schlossplatz that was revived some years ago.

But above all the Wisbadeners were inkeepers and bathhouse keepers. There were thirteen bathhouses offering thermal waters. They were open to both sexes, and men and women bathed together stark-naked. If we are to believe old chronicles it must have been very merry bathing. In his "Tractatus de cursi mundi" (1383 – 1387) the scholar Heinrich Heinbusch von Langenstein grew angry at the excesses and the sensual pleasure of bathing in Wisbaden which, though "washing the bodies white", had "blackened the hearts by sin" – and that not only in common public baths but also in the bathhouses of the nobility and of respected citizens. The hot springwater, rising from 2,000 meters (6,600 feet) below at a temperature of 64 – 68°C (147 – 154°F), was available at public springs for domestic use – against a charge, of course. The citizens amply availed themselves of this right, and that for purposes of all kinds. Whether the people of Wisbaden and their visitors really used the hot springwater for boiling eggs in the streets and scalding poultry and slaughtered pigs, as the mineralogist Georg Agricola reported in 1545, is a matter of veracity.

It was only with great difficulty that the town recovered from the horrors and devastation of the Thirty Years War. Too often it had been pillaged and laid under contribution, by Gustav Adolf's soldiers as well as by the imperial armies. The population had partly been murdered or had fled into the Taunus woods. In 1646 no more than 51 citizens still lived within the

walls of the destroyed town. It took a great effort on the part of the reigning Nassau prince to help Wiesbaden to struggle to its feet again. Only by the end of the seventeenth century did Prince Georg August Samuel succeed in putting an end to the languishing state of the town by purposive policies of new settlement and building. But the result still left much to be desired.

This only changed by the middle of the eighteenth century when Prince Karl in 1734 removed his residence from Usingen to Wiesbaden, urged on by Princess Henriette Dorothea. From her uncle she had been presented with the grounds of the present park of Biebrich Palace on the Rhine, and in 1701 a summer-house was built there. Already in 1703 this was extended into a small residential palace. Later a second building was added. This was the stepping-stone for Biebrich Palace, for these two buildings were developed into the east and west corner elements which Maximilian von Welch, the famous baroque builder of fortifications, connected by two galleries in the geometrical centre of which he placed a magnificent rotunda. In 1744 the princely couple moved into its new residence with its adjacent spacious baroque park. Wiesbaden had now become the capital of the principality of Nassau, and this gave the town a vital impetus. Buildings for the administration had to be erected, and many people moved into the town. Thus the population grew rapidly, and soon Wiesbaden was a town boasting 2,000 citizens. In the seventies gambling games were introduced, in 1782 roulette was played for the first time, and the principality started its own Nassau lottery. These games of chance attracted new visitors to the town, and the spa began to flourish.

In the wars which the French Revolution brought in its wake the population suffered from billeting and contributions that had to be paid. Again and again Nassau was used as a passage and assembly area for large armies and units. As far as was possible the Wiesbadeners did not let themselves be hampered in their economic activities, they just adapted themselves to the circumstances. Despite the ravages of war the splendid new hotel "Schützenhof" attracted new visitors, among them even Emperor Josef II which delighted not only its proprietor but the Wiesbadeners in general who knew how to make use of this for publicity purposes. Companies of actors from Mainz and Wiesbaden were engaged to entertain the guests; soon the hotel's halls no longer sufficed and a large

hall for theatrical performances and social entertainments was added on.

In 1806 the Prince of Nassau joined the Rhenish Confederation for which he was given the Rhinegau and the permission to call himself a duke. He died in the same year, and with him the line of Nassau-Usingen became extinct. Now the Weilburgers reigned in Nassau. The advantage was that now the dukedom of Nassau became a homogeneous state with Wiesbaden as its capital. Lively building activities began. In 1807 the duke commissioned the ingenious architect Christian Zais (1771 – 1820) with the building of a new kurhaus (combined hydro and assembly-rooms) which could be inaugurated in 1810. The visitors were delighted with the house, its strictly classicist architecture, the opulence of its appointments for which Zais had been able to buy on favourable terms paintings of Italian artists which had been ordered by Napoleon who, however, was not in a position to accept them as the time of his imperial grandeur was at an end. A chronicler wrote, "The halls of Paestum, full of splendour, supported by marble columns, the charms of Bachae have blossomed here in a warm and intoxicating way". In 1814 Goethe noted, "The great spa hall and the new streets will give the friends of architecture pleasure and serve them as a paragon". This Zais building substantially contributed to the world-wide reputation of Wiesbaden as a spa, and it became the town's social centre.

Goethe and Wiesbaden, that is a story of its own. Both have given and owe each other a lot. Twice the Weimar minister and poet took the waters in Wiesbaden, from late July to mid-September 1814, and again from June to August 1815. To Goethe these were creative periods; in Wiesbaden he wrote many poems for his "West-Eastern Divan", among them the immortal lines:

"Till by this you be possessed: –
Die and have new birth!
You are just a sombre guest
on the darkened earth."
(Transl. J. Whaley)

He met many important people, and they as well as his Wiesbaden impressions were momentous for his future life. He wrote a great deal about this, in letters, in diaries, and last but not least in his records "Travels along the Rhine, Main, and Neckar". He also suggested starting art collections in Wiesbaden and having a museum built for them. But it took a good hundred years for these suggestions of Goethe to be realized. At last the large museum was built in which the treasures of art and documents from old times could be kept and put on view. For this the Wiesbadeners have erected a monument in honour of the Weimar visitor: the Olympian is enthroned in front of the museum, sitting among the columns of the portico. Christian Zais, the architect from Suabia, gave Wiesbaden its shape and its character, on paper as a planner and also as a master builder of important buildings the strictly classicist style of which still ravishes the eye of the present-day beholder: the hereditary princes' palace in Wilhelmstrasse which now accommodates the chamber of industry and commerce, the small residential building in Friedrichstrasse which is now the home of the 1st Police Station, and the lay-out of Luisenplatz, a square that was restored to its original appearance in 1984/85.

In 1817 Wiesbaden had 3,800 inhabitants, more people than ever were keen to move into the capital. Duke Friedrich August enlarged his residency and was anxious to make it the centre of his duchy. He decreed that the town's fortifications should be demolished, they had anyway no military and strategic use anymore. Director of building Götz designed new streets, Zais erected his classicist buildings and co-operated in the setting up of strict building regulations, which were meant to give the town a homogeneous pleasant appearance and succeeded in doing so. 1823 then saw the beginning of a building boom in the Nassau capital which in three decades made the town what it still is today: a generously laid-out town with broad streets, spacious squares, many greens, and an infrastructure that is determined by Wiesbaden being a health resort. In the same year the mineral-water cure at Kranzplatz was born. In 1824 the duke had a hunting seat built on the Platte, 500 meters (1,600 feet) above the town's level on the crest of the Taunus; there he staged his last hunting party in 1865 before losing his duchy in 1866. In 1827 Heinrich Jakob Zengerle built the longest cantilever hall in Europe, the Brunnenkolonnade (spring colonnade) at the north side of the kurhaus; two rows of plane trees were planted which enclosed the so-called Bowling Green in front of the kurhaus. In 1839 the south colonnade, the present theatre colonnade, was erected.

In 1816 Duke Wilhelm had married his second wife Pauline, a woman of strong social engagement whose name still lives on in the Paulinenstift, one of Wiesbaden's major hospitals. Wilhelm died in 1839 and was succeeded by his son Adolf who continued the buildings his father had begun and added new ones. Work on the town palace, begun in 1837, was steadily continued to plans of the Darmstadt architect Georg Moller who had studied under Weinbrenner. On a corner site he built the palace in early classicist style in a very imaginative way: a curved unit connects the two wings, the house does not look like a palace but gives the impression of a wealthy citizen's house; excessive demonstration of princely splendour was disapproved of with regard to buildings of those days. Inside the palace was equipped with magnificent flooring, ceilings, and wall paintings, with precious woods, silken tapestries and exquisite furniture. An indoor riding arena was built and a concert hall fitted out. The riding arena in 1957 had to give way to the new plenary hall of the Hesse Diet which now, as the democratic successor to the ducal sovereign, meets in the palace. In 1842 the first stately government building in the style of the Florentine renaissance was erected at the corner of Luisenstrasse and Marktstrasse by the 32-year-old architect Carl Boos, and in the same year building was begun on the small palace into which Duchess Pauline, the widow of the late Duke Wilhelm, moved in 1845.

In 1844 Duke Adolf married Elisabeth Mikhailovna, a niece of the Czar of Russia and a most beautiful young woman, who was supplied with a dowry of one million roubles. Ten months later the young duchess died when giving birth to her first child. In remembrance of her the duke commissioned his architect Philipp Hoffmann to build a church in Russo-Byzantine style on the Neroberg high above the town. Hoffmann went to Russia for almost a year to study Russian church architecture. Having returned he designed the plans for the sepulchral church for the Duchess Elisabetha. The church was consecrated on May 25, 1855, and the following night the mortal remains of the Duchess and her daughter were solemnly taken to the new church and laid to rest in a sarcophagus which the Munich sculptor Emil Alexander Hopfgarten had chiseled out of white Carrara marble. Since then the five golden cupolas of the church, now known as the Greek Chapel amongst the Wiesbadeners, have welcomed arrivals to Wiesbaden; glinting gold against the dark background of the forest they have become a landmark of the town.

The capital and health resort kept growing, and the spa services became Wiesbaden's most important economic factor. Of the 13,500 inhabitants in 1845 2,400 worked as "servants" to visitors to the spa, and this growth was not impeded by the political disturbances of 1848. Like people everywhere in Germany the Nassauers demanded universal suffrage. 30,000 citizens and peasants from all over the duchy assembled in front of the palace and held a demonstration. Their spokesman August Hergenhahn put their urgent requests to the duke who had just returned from Berlin and who promised to comply with them. In May 1848 the first diet was elected. But there was still a long way to go towards democracy.

Nassau was a poor land, and the splendour of the capital, though less pretentious and more unobtrusive in comparison to capitals of other German principalities, could not obscure this fact. The ducal government endeavoured to strengthen the economic power of the land, restricted means, however, produced but limited results. In 1857 the railway along the Rhine from Wiesbaden to Niederlahnstein was opened, some years before the first train had steamed from Wiesbaden through the Taunus to neighbouring Bad Schwalbach. In Kranzplatz another pump room was erected to put new life into the spa. In 1862 Carl Boos completed the Marktkirche as the town's main protestant church, a basilica with three naves and five steeples which since then have dominated the town's silhouette. Following the example of Karl Friedrich Schinkel Boos erected the church in neo-Gothic-Romantic style, and the exclusive use of bricks as a building material further underlines this character. Inside the sparsely decorated church is dominated by four monumental figures of apostles by Emil Alexander Hopfgarten. From 1844 – 1849 Philipp Hoffmann had already built the main catholic church, following the neo-Gothic style. The façade was finished in 1856, and with its slender spires the church commanded the scene of the Luisenplatz.

Wiesbaden's clientele, staying in town for shorter or longer periods, grew more and more international. In 1862 the Russian author Fyodor Mikhaylovich Dostoyevsky came to Wiesbaden and spent bitter weeks in the town whose casino and what he, as a gambler, experienced there formed the foundation for his novel "The Gambler". Over a longer period of time Richard Wagner lived in a villa on the Rhine where he composed the prelude and parts of "The Mastersingers of

Nuremberg". Later Brahms and Reger stayed in the town; Brahms composed his third, the Wiesbaden symphony and some songs, and Reger did his military service in Wiesbaden.

The duke did a great deal for the spa. He did not think much of industry, however, which he did not want to see in his spick-and-span elegant residential town. It had to stay out at Biebrich on the bank of the Rhine or even farther away, a policy which in later decades when the time of emperor and princes had come to an end should prove to have been very shortsighted. An end was put to the Duchy of Nassau in 1866, in the war between Prussia and Austria Nassau had supported the losers. Prussia annexed the little duchy and incorporated it into its Rhenish Province, and although Wiesbaden became the seat of the Prussian district president the metropolitan glamour appeared to have been lost.

So it seemed. But then quite the reverse happened, Wiesbaden now experienced its heyday and its rise to a spa resort of world renown that year after year was frequented by more guests and visitors than it had inhabitants. Wiesbaden enjoyed the favour of the Prussian kings who later on became emperors of Germany. It was Wilhelm II who made the town the centre of his empire for some weeks every year. In those years before the First World War it was the done thing to live in Wiesbaden, the emperor's favourite town.

Carl von Ibell, on whom the emperor had bestowed his personal favour, developed the town's stately character by many buildings such as the new main station, the new theatre, the new town hall; he extended the water supply system and built a modern network of sewers, erected new schools, further developed the spa facilities, and built the museum. Last but not least his term of office saw the erection of imposing mansions east of Wilhelmstrasse and in the Nerotal which still bear witness to the town's splendour at that time. Ibell pinned his hopes on the spa, on the money the rich drew from their capital, and on the imperial court that came to take the waters in May every year, bringing the town international prestige. But he resisted any form of industrialization, consequently continuing the town development policies of the Nassau dukes.

Ibell's achievements continue to be effective in modern Wiesbaden because he determinedly and wisely strengthened the infrastructure of the fashionable spa and residential town. A gasworks and a power-station started operation, the streets were well lit at night; public transport was modernized, the horsecars that since 1875 had transported the spa visitors were replaced by electric trams, a new abbattoir ensured the supply of the many visitors and citizens. But most of all a great number of new stately buildings put up during Ibell's term of office focussed town planning on new lines which are still recognized today. From 1884 – 1887 the new town hall at Schlossplatz was built to the design of the Munich professor of architecture Dr. Georg von Hauberisser, a magnificent neo-Renaissance building right after the Wiesbadeners' hearts. The same went for the new theatre for the design and building of which the world famous Viennese theatre builders Fellner and Hellmer could be won. After two years in construction the house was festively inaugurated in the presence of His Majesty Emperor Wilhelm II. Now the environment was available for the Imperial May Festival which since 1896 carried away audiences with sumptuous performances of the Imperial Court Theatre from Berlin. But one thing was lacking: the new theatre did not have a foyer for the festive visitors. Thus in 1902 Felix Genzmer added on a foyer in neo-baroque style; its gold-edged stucco and its gorgeous ceiling fresco provided a festive ambience for the audience, and till today it has remained a dignified setting for the audience presenting themselves in gala dress.

In 1881 a new hotel was built on the Neroberg, and since 1888 a water-operated cable railway, the Nerobergbahn, has been running on this mountain. Its name is not derived from the ill-famed Roman emperor Nero but from the Celtic word "ners", meaning "local mountain". The cablecar is still a special attraction for the Wiesbadeners and their guests.

The spa facilities in Kranzplatz were given an appropriate structural setting with a newly built pump room. The Kochbrunnen (boiling spring), one of the three main thermal springs in Wiesbaden, was put on display in a roofed-over pavilion; the locals call the small octagonal pavilion the "Kochbrunnentempel". At Kranzplatz, the old spa centre, two excellent hotels with their own integrated balneotherapy facilities were built, the "Rose" in 1900 and the "Palast-Hotel" in 1905.

After long discussions and debates in local politics the new kurhaus was built by the Munich professor of architecture Friedrich von Thiersch. It cost five million gold marks, but the old kurhaus built by Zais no longer met the requirements of the world-renowned spa and the 130,000 visitors that came to Wiesbaden every year. In 1907 the new kurhaus was opened. Its colossal architecture conceived in classicist style and its luxurious interior roused to enthusiasm not only the Emperor in whose presence the new building was inaugurated but also the Wiesbadeners and their visitors who admired this social centre of the spa as much as Goethe had admired the building of Zais. In the opinion of contemporaries the Wiesbaden kurhaus was the most beautiful in the world; and many – not only Wiesbadeners – still hold the same opinion. It is now being renovated at a cost of 54 million Deutschmarks and under strict observation of preservation orders. Soon it will shine in all its old glory, and then this Wiesbaden landmark known all over the world may well be the most impressive testimony to the imperial spa Wiesbaden. Without doubt it is a very special architectural work of art which documents Wiesbaden's golden age in the same way as famous cathedrals and minsters are lasting witnesses to the greatness and importance of medieval cities or as princely residences reflect the power and the wealth of baroque rulers.

In 1906 the new main station was inaugurated by Emperor Wilhelm II, a terminal laid out on a large scale in the south of the town and making a stately setting for the arrival of the Emperor. Before retiring to the palace where he used to live during his sojourns in Wiesbaden, Wilhelm rode on horseback along the wood paved Wilhelmstrasse and he and his entourage were greeted by crowds of Wiesbadeners who enthusiastically cheered their emperor. Indeed, it was a real pleasure to live in this privileged town, it was a pleasure to be treated in the new Kaiser-Friedrich-Baths, a beautifully appointed new hydro opened in 1913, with a Roman-Irish-Bath, with frescoes depicting scenes from hydropathic treatment, and with art nouveau ornaments all along its walls and ceilings and in the windows.

In the same year a new library building was erected in Rheinstrasse, the present Hesse State Library. The new building of the museum was begun to plans of Theodor Fischer, and it was opened at the height of war in 1915. On Biebricher Höhe, on the very spot where the two towns of Wiesbaden and Biebrich met, the champagne producing family Henkell had a new building constructed by Paul Bonatz which counts among the most beautiful creations of this Berlin architect and the imposing interior of which documents Wiesbaden's splendour in the same way as do many public buildings in town.

All this magnificence and grandeur was over when the First World War came to its end. All at once the world spa Wiesbaden had not only lost its patron, the emperor, but also its international clientele. Already during the war the splendour had given way to drab field-grey. When in October 1918 Wiesbaden experienced its first air raid that killed twelve citizens and demolished several houses the Wiesbadeners realized with alarm that in future everyday life was going to be very different from what they had been used to till four years ago.

The monotony of the daily round became even more dreadful when in mid-December 1918 French occupation forces entered the town. Chicanery was the order of the day, and injustice and military violence as expressions of a victors' policy that was determined by revengefulness and measures of punishment met with growing inner resistance by the population. Economic difficulties caused a lot of trouble. There was hunger and sheer need which could be remedied but little by public meals and the "feeding of the poor by the charitable". Coal was lacking, many felt miserably cold, the schools had to be closed down in winter. There was not enough accommodation; municipal house-building associations erected new residential quarters in the Rhinegau quarter and at Westerwaldstrasse and Lahnstrasse. Despite world-wide depression, despite hopelessness and poverty the Wiesbadeners tried to counteract the adversities of the time with all their remaining strength.

The Berlin government tried to alleviate the need in the towns by structural measures, economically weak communities were amalgamated. And so in 1926 Biebrich, which was financially completely exhausted, was incorporated into Wiesbaden, together with Schierstein and Sonnenberg. Two years later Dotzheim, Erbenheim, Frauenstein, Igstadt, Kloppenheim, Hessloch, and Rambach followed. Now Wiesbaden had a population of 150,000, but that was of little help to the town's finances as almost half of its inhabitants only managed to exist on public assistance. To economize a special commissioner started his work in the town hall but the effects of world-wide depression were stronger than all efforts. Only after the occupation forces had withdrawn in 1930 did the town seem to be able to breathe again. With difficulty

attempts were made to revive the water-cure. The wealthy pharmacist Adam Herbert and Hugo Reisinger, who had emigrated to America, donated to the town the Herbert-Reisinger gardens opposite the main station which since 1932 have given those arriving a first impression of the town's spacious lay-out. Privy councillor Fritz von Opel presented his home town with the Opel Pool on Neroberg which was opened in 1934. Both the Herbert-Reisinger gardens and the Opel Pool were attractions that supported the town hall politicians' efforts to revive the spa.

National socialist dictatorship and changed social conditions in the Reich, however, considerably complicated such efforts. Only few foreign visitors came, the times were so insecure and the Germans seemed so violent. And many were violent indeed. In 1938 the persecution of the Jews reached a first peak. The synagogue on Michelsberg, built by Philipp Hoffmann in 1869, went up in flames. Many Jews left the town just in time before their brothers-in-faith, all respected Wiesbaden citizens, were crowded together in collective transports and removed to extermination camps.

No approval and no enthusiasm were noticed when in 1939 Hitler unleashed the dogs of war. There was an atmosphere of depression, many despaired, most people were afraid. Fear increased over the years but it was endured, not from indifference but from pressure towards adaptation which had paralyzed the people. When bombs destroyed the town and the Wiesbadeners suffered the loss of more than a thousand dead and twenty-eight thousand became homeless in one night, there was only one desire: may this mad war soon come to an end. On March 28, 1945 American troops occupied the town which had surrendered thanks to the intrepid efforts of a handful of men who had dared to resist Hitler's felonious order of the scorched earth.

By and by the dark passed into a grey morning. There were some who had enough spirit to make a new beginning, to clear away the ruins and the debris, not only in streets and squares but also in the people who had become lost in need and despair. The women and men of the first hour, as they are often referred to today, mustered courage and struggled against despair and despondency and human misery; with a firm hand they entered their names in the town's annals as did all those who in days gone by time and again made a new start when they were needed to rebuild their

town and put new life into it in their faith in a better and humane future. In May 1946 the Wiesbadeners elected their first local representatives, and immediately afterwards the first town council was set up that since then has been acting in collective responsibility. One of its members was the man who like no one else decisively shaped the town's fortunes until 1966: Georg Buch, first a town councillor, then burgomaster from 1954 – 1960 and chief burgomaster from 1960 – 1966, one of Wiesbaden's most energetic and most popular politicians to whose commitment to his home town and his fellow citizens the town owes much.

By the end of the war Wiesbaden had 123,000 inhabitants, but it then had to accommodate almost the same number of refugees and expellees who came to the town to find a new home. And they did find it as the Wiesbadeners took them in and stood by them in solidarity. Together with them they rebuilt the town, not just as a health resort but as an important administrative and economic centre in the western Rhine-Main region. As capital of the Federal Land Hesse since 1946, the town exerted an additional pull which, however, made it easier to create fresh employment and finance necessary infrastructural measures by the settlement of new administrations and industries. In those years it was imperative not just to rebuild but to build anew for the many people moving in: flats upon flats, schools, nurseries, sports facilities; water, electricity and gas supplies had to be restored and substantially extended for the inhabitants and industry. In doing all this the historic image of the town had to be taken into account. It was not to be destroyed or disturbed, and care had to be taken that the new blended harmoniously with the old. This was achieved to a large extent.

It is true, the path was an arduous one. In 1949 the Kochbrunnen and the pump room were reopened. A year later the spa quarter was rebuilt and the first International May Festival took place which not only reestablished an old tradition but developed into a meeting place of companies and artists of theatres and concert halls from New York to Moscow, from Tokyo to Paris – a theatre-window into the world. In 1952 the Brunnenkolonnade could be reopened, in 1953 the theatre and the kurhaus, both of which had almost entirely burnt out after the heavy air raid of February 1945. In 1957 the first congress was held in the Rhein-Main-Halle which, consistently equipped and extended, developed into an international congress centre.

As the capital of a Land Wiesbaden had a great attraction for administrations and the economy. In 1953 the Federal Criminal Investigation Office was established in Wiesbaden, two years later the Federal Statistical Office. Banks, insurance companies, publishing houses, and the German Mortgage Bank found a new home in Wiesbaden. Old industrial firms expanded, new ones appeared on the scene and many headquarters of combines and new services enterprises doing business the world over. A good third of those working in Wiesbaden are employed in public and private services enterprises and in administrations. The spa was reactivated not as the pastime of the high society of a bygone age but brought into line with social requirements. Behind the kurpark arose new clinics and sanatoriums, a generously conceived thermal indoor swimming-bath and the first and only German clinic for diagnostics were built. With resolve Wiesbaden was developed into a centre for the treatment of rheumatic diseases which also finds expression in the donation of the "Carol Nachmann Prize of the Capital Wiesbaden for Rheumatology" which is awarded every year for outstanding achievements in the field of rheumatologic basic research.

Since the early seventies the Wiesbadeners, both original and newcomers, have taken great trouble to restore the town. Conscious of historical tradition they channelled its growth and tried to keep alive as an essential component and save from decay what had grown over centuries and was still alive in the town. "Redevelopment" and "preservation" were not mere catchwords, real feats of town construction followed; Kranzplatz, Luisenplatz, Adolfsallee as well as Villa Clementine which was restored true to style in Preservation Year and the pedestrian precinct in the city have helped the town maintain its individuality. And the inhabitants voiced their approval and gave active cooperation. Today Wiesbaden is a delightful, clean, lively town with a touch of elegance, maybe even exclusiveness.

To take care of what is old yet not prevent modern development, that remains the maxim of this town. Quite a few works of art of historic value were rediscovered during this process of renovation, so the splendid frescoes in the rotunda of Biebrich Palace or many a concealed half-timbered framework in the suburbs, for instance in old houses from the Middle Ages in Frauenstein. At every turn one perceives continuity, a high quality of life, loyalty to what is individual and unusual. Urbanity is no longer seen as mere functionality, for years it has also meant humaneness – and that most of all.

Nothing reminds one anymore of the hard years of recovery, of need and of misery. Only in the tales of the elderly do these reminiscences crop up again, and they relate with pride how all this was achieved. Do you remember? That is a frequent question when Wiesbadeners meet to celebrate together at one of their many street festivities or at the "Rhinegau Wine Week" that for ten days brings together hundreds of thousands for merry-making with wine and music in Schlossplatz and the pedestrian precinct. Proudly the locals take their visitors through the town they love so much; it has kept its humane character despite so much expansion, despite the differences between the rural eastern districts and the industrial areas on the Rhine, between the administration centres bordering the city and the old mansions in Nerotal. Cheerfully they take their visitors up the Neroberg which offers a magnificent view over the town as far as Mainz on the opposite bank of the Rhine, as far as the Odenwald mountains whose shadowy outline is just visible on the horizon. Like the kurhaus, the Marktkirche, the palace and the old town hall from 1690 the Neroberg embodies the Wiesbadeners' self-confidence and pride and the continuity of history. The same goes for Wilhelmstrasse which they all have taken to their hearts as the "rue" and where they take a stroll in the evenings and on Sunday. To see and be seen – that has always been a maxim in Wiesbaden, and in this respect nothing has changed – on the contrary. Here Wiesbaden, the nineteenth century spa, has remained faithful to itself, for all its turning to the present with its antagonisms and inconsistencies. But perhaps it is just this that is the fascinating essence of urbanity.

A telle ville, ainsi qu'à tel paysage, convient particulièrement telle saison. Mais, deux saisons, le printemps, puis l'automne, concourent à l'agrément de la ville de Wiesbaden. Elle est, en effet, une ville verte, en harmonie avec son environnement naturel de forêts et, sur plus d'une moitié de la surface urbaine non utilisée pour des constructions, jardins, espaces verts ou parcs abondent. Cette ville ne possède pas un centre très ancien, isolé, aux charmantes ruelles vieillotes et familières. Tout y est spacieux: de larges rues ressemblant souvent à de magnifiques allées, des places étant de véritables grands espaces contribuent de beaucoup à l'aspect racé de la ville. En fait, Wiesbaden n'est pas une grande ville, mais une ville moyenne de 270 000 habitants, aux nombreux faubourgs indépendants, ou bien d'une rusticité pleine de charme, ou bien adonnés à la grande industrie. Particularité due à l'évolution historique de la ville: le centre n'eut qu'une faible puissance d'intégration à cause du souci constant de sa propre histoire, marquée d'étapes difficiles; si bien que son environnement le plus immédiat s'est constitué sans porter la marque visible d'une appartenance.

Ainsi la diversité de Wiesbaden dans sa constitution et dans son apparence immédiate la démarque aussi bien de Mayence, sa voisine que de Francfort ou de Darmstadt, bien qu'elle complète avec ces deux dernières villes en temps que capitale du Land de la Hesse, le trio des villes les plus importantes du bassin Rhin-Main. Cependant, parmi ses concurrentes, Wiesbaden offre une image bien spécifique. Les habitants de Wiesbaden entretiennent aujourd'hui amoureusement ce qui, au cours de l'histoire de leur cité, fut successivement créé, détruit puis remodelé. C'est au 19ème siècle qu'elle doit avant tout sa physionomie particulière et ce sont les nombreux vestiges de cette époque qui font le charme d'une ville prise entre Rhin et Taunus.

C'est, il y a quelques 2000 ans, sous l'occupation romaine, que commença l'histoire de la ville. Wiesbaden, la romaine Aquae Mattiacae, constituait alors, dans la campagne contre les Germains, une tête de pont avancée vers le Nord. La colonisation romaine n'eut pas seulement son importance pour la stratégie de l'envahisseur, elle eut aussi comme conséquence l'expansion commerciale et le développement du thermalisme. L'écrivain romain Gaius Plinius Secundus (27–79 ap. J.-C.) mentionne les eaux des Mattiaci dans sa «Naturalis historia». Le poète latin Martial (de 38–41 à environ 100 ap. J.-C.) décrivit leurs effets dans une épigramme: «Le tuf des eaux des Cattes rend brillante la chevelure de ce peuple germain, (si tu en fais

usage) tes cheveux rivaliseront d'éclat (acec ceux des prisonniers). Si tu veux modifier la couleur de tes cheveux grisonnants avec l'âge, alors utilise les boules mattiaciennes, ne les arrache pas, à quoi te servirait une tête chauve!»

Des fouilles ont montré que les Romains avaient installé, dès la première moitié du premier siècle, des thermes imposants où l'eau chaude et gazeuse des sources bouillantes était amenée par des conduites de plomb. Construits par les soldats des légions, ils étaient réservés aux soldats de l'armée romaine et à leurs équipages qui y prenaient les eaux. Tels furent les débuts du thermalisme à Wiesbaden. La silhouette même de la ville rappelle aux citadins leur passé romain: le mur des païens fut commencé sous l'empereur Valentinien (entre 364 et 375 ap. J.-C.), atteignit 500 mètres de long environ mais ne fut jamais terminé; la porte romaine n'était qu'une imitation datant de 1900. L'époque romaine de Wiesbaden prit fin au moment des défaites de l'armée romaine durant les grandes invasions, la domination alamane lui succéda alors aux 3ème et 4ème siècles. Les Alamans, et plus tard les Francs, fondèrent leurs propres colonies: un nouveau chapitre débutait dans l'histoire de Wiesbaden.

La cité se développa modestement, plusieurs siècles durant, en marge de l'histoire. Le lieu-dit Wiesbaden était «un village dans les environs de Mayence» ainsi que le rapporte une vieille chronique. Dans les récits de voyages de Einhart apparaît pour la première fois en 830 le nom Wisibada, qui ne signifie rien d'autre que «bain dans les prés». D'autres récits modestes nomment aussi l'endroit d'une source dans les prés Wisibadum, Wisebadon, Wisibad et finalement, c'est à partir de 1218, qu'est fixée la forme de Wisbaden.

Sur le plan politique, Wisbaden était un fief royal aux vastes étendues forestières dans le Taunus. En 1170, le fief tomba pour la première fois aux mains des comtes de Nassau et il devint, à partir de ce moment-là, une pomme de discorde entre les Nassau d'une part, et les Eppsteiner puis les princes-électeurs de Mayence de l'autre. Il fut souvent saisi, puis racheté et changea de propriétaire à de nombreuses reprises, soit comme fief, soit comme donation. Durant très peu de temps Wisbaden devint Ville d'Empire. L'administrateur de la commune était choisi par le roi auquel les habitants payaient une redevance. La ville fut incendiée et pillée de nombreuses fois au cours d'affrontements fréquents et même parfois complètement rayée de la carte: ainsi en 1242, où elle fut brûlée complètement et où la population en fut alors chassée – la famille des Staufer était de nouveau partie en guerre

contre l'archevêque prince-électeur de Mayence, chancelier d'empire et les comtes de Nassau restaient, comme de coutume, du côté des perdants.

Mais Wisibada ou Wisbaden fut bien sûr aussi le théâtre de joyeuses festivités, la plupart du temps en marge de grands évènements historiques. A la Pentecôte 1184, l'empereur Barberousse tint dans les environs proches de Wisbaden, sur l'île de la Maaraue, la Diète de l'Empire: 70 princes et des milliers de chevaliers vinrent de tous les pays d'Europe rendre hommage à l'Empereur trois jours durant. Les chroniques ne disent pas si, à cette occasion, empereurs et princes visitèrent les sources de Wisbaden. Le prédécesseur de Frédéric, l'empereur Otto 1er séjourna, lui, deux fois à Wisbaden, comme le mentionnent deux certificats de donation. C'est à cette époque aussi que fut posée la première pierre de la première église chrétienne de Wisbaden: l'église Saint-Maurice. Sa construction s'étala sur différentes époques jusqu'en 1850, année où elle fut entièrement détruite dans un incendie; ensuite elle n'a jamais été reconstruite. Seules, la place portant aujourd'hui son nom et une plaque commémorative nous rappellent aujourd'hui l'existence de cet ancien lieu de culte.

Le Wisbaden Moyen-Ageux était constitué de trois parties: la cité fortifiée, les surfaces cultivées non fortifiées et le secteur des thermes nommé terre salée. En 1277 Rudolf de Habsbourg retransmit le fief de Wisbaden ainsi que tous ses droits au comte Adolf de Nassau, et les Eppsteiner ainsi que les Mayençais promirent de maintenir la paix. Une période de calme sembla donc s'instaurer pour Wisbaden, d'autant plus que le comte Adolf de Nassau fut couronné empereur en 1292. Mais en 1298, six ans plus tard seulement, les Eppsteiner firent en sorte qu'Adolf fût détrôné. Wisbaden, en la possession d'Adolf de Nassau, ne représenta guère la dignité royale de son prince. Celui-ci ne résida pas à Wisbaden, mais seulement temporairement au château de Sonnenberg qu'il aménagea parce qu'il ne faisait pas confiance à ses voisins, les Eppsteiner. En 1298, le roi Adolf fonda aux portes de Wisbaden le cloître de Klarenthal, cloître familial et sépulture de la famille des comtes de Nassau. Pourtant, dès le 15ème siècle, ce cloître n'eut plus d'importance et fut fermé en 1559. L'église du cloître fut détruite en 1756 et les derniers restes brisés en 1940.

A la fin du 13ème siècle, le domaine de la châtellenie de Wisbaden fut fortifié. Les contemporains parlèrent d'un «solide Wisbaden, ville et château», avec ses tours et ses portes, ses douves remplies d'eau devant les remparts et ses vastes étangs réservés à la pisciculture. Wilhelm Dilich nous montre, sur une gravure de Wisbada de 1605 comment était Wiesbaden à cette époque. La ville est encore mieux identifiable sur le «Petit trésor» de Meissner de 1624 et sur la «Topographia Hassiae» de Merian parue 22 ans plus tard. Le nom orthographié ainsi Wiesbaden ou de cette façon Wißbaden, apparaît sur ces deux gravures, dẽ même que le blason aux trois lis. Ces trois lis, qui furent utilisés dès le début du 16ème siècle dans le sceau de la ville, sont l'emblème de la pureté de la Vierge et les couleurs jaune et bleu sont les couleurs des Nassau.

Le petit millier d'habitants de Wisbaden, qui reconnut dès 1543 en grande majorité l'enseignement de Luther, pratiquait l'agriculture, élevait du bétail, s'occupait de vastes forêts, faisait du commerce. On mentionne dès 1367, l'existence d'un magasin; il y avait des tanneurs et des potiers; les poêles de faience étaient une spécialité de Wisbaden très estimée alentour. Il y avait aussi des menuisiers, des boulangers, des cordonniers, des forgerons, des tuiliers et des tisserands qui travaillaient la laine des bergers du Taunus. On cultivait la vigne, un marché se tenait quatre fois l'an. De nos jours subsistent encore le marché de novembre et celui de Saint André, si l'on excepte le marché hebdomadaire de la place du château, remis à l'honneur depuis quelques années.

Mais les habitants de Wisbaden furent avant tout des restaurateurs et des hôteliers au service du thermalisme. Il y avait 13 établissements où l'on pouvait prendre les eaux. C'étaient des thermes ouverts à tous, où hommes et femmes se baignaient nus. Cela devait être, si l'on en croit les chroniques, une vie thermale des plus plaisantes. L'érudit Heinrich Heinbusch von Langenstein s'irritait, dans son «Tractatus de cursi mundi» de 1383/1387, des débordements et de la volupté du thermalisme de Wisbaden, qui certes, «blanchissait les corps» mais «noircissait les âmes par le péché». Et cela non seulement dans les bains publics, mais encore dans les thermes réservés aux nobles et aux citoyens importants. L'eau des sources chaudes y arrivait en surface à une température de 64 à 68°C depuis une profondeur de 2000 mètres. Elle ne devait être puisée que pour l'usage domestique et cela s'entend, contre le versement d'une taxe. On l'utilisait pour toutes sortes d'usages. Mais il reste à savoir si les habitants de Wisbaden et leurs hôtes faisaient cuire un œuf ou faisaient ébouillanter volailles et cochons en pleine rue grâce aux eaux chaudes, comme le rapporte en 1545, le minéralogiste Georg Agricola: la question reste posée.

La ville ne se remit que très difficilement des terreurs et dévastations de la guerre de trente ans. Elle fut trop souvent pillée et rançonnée, autant par les soldats de Gustav Adolf que par ceux de l'Empereur. La population fut en partie exterminée ou prit la fuite dans les forêts du Taunus. 51 citoyens seulement habitaient encore en 1646 les murs de la ville détruite. La remise à flot de Wiesbaden nécessita de gros efforts des princes régnants de Nassau. Ce n'est qu'à la fin du 17ème siècle que le prince Georg August Samuel réussit à résorber l'incurie de la ville grâce à une forte politique de reconstruction et de réexploitation.

Les résultats ne furent pas satisfaisants. La situation évolua seulement vers la moitié du 18ème siècle, lorsque le prince Karl fit choix, en 1734, de Wiesbaden pour lieu de résidence à la place d'Usingen. C'est en fait la princesse Henriette Dorothea qui l'y poussa, parce qu'elle avait reçu en cadeau de la part de son oncle le terrain qui, actuellement, forme le parc du château de Biebrich, terrain sur lequel elle fit construire en 1701 un pavillon pour sa résidence d'été. Il devint dès 1703 un petit château; un deuxième corps de bâtiment y fut ajouté plus tard: ce furent les débuts du château de Biebrich. Les deux bâtiments constituèrent les ailes Ouest et Est que Maximilian von Welch (célèbre architecte de fortifications du baroque) a réunies par deux galeries au milieu géométrique desquelles on implanta une magnifique rotonde. Le couple princier s'installa en 1744 dans sa nouvelle résidence, derrière laquelle se développait un très vaste parc baroque. Wiesbaden devint alors capitale de la principauté de Nassau, ce qui donna à la ville une nouvelle impulsion. La population s'accrut rapidement et atteignit bientôt 2000 habitants, non seulement à cause de la nécessaire construction de bâtiments administratifs, mais aussi parce que beaucoup de gens étaient attirés par la ville. Les jeux de hasard furent introduits vers les années 1770. La roulette fit son apparition en 1782, puis une loterie du prince de Nassau. La roue de la fortune attira de nombreux curistes. Le thermalisme prospéra.

Pendant les guerres qui suivirent la Révolution Française, la population eut à souffrir des contributions à verser et des cantonnements. Nassau fut toujours terrain de passage et de déploiement pour les troupes et les grandes armées. Les gens de Wiesbaden ne se laissèrent nullement détourner de leurs affaires; autant que possible, ils s'adaptèrent. Le magnifique et nouvel hôtel des curistes «Schützenhof» ressemblait à un château et attirait toujours de nouveau clients malgré les désordres de la guerre. L'Empereur Josef II descendit dans cet hôtel: ce qui fit le ravissement et de l'hôtelier et des gens de Wiesbaden en général, car ils surent en tirer profit. On engagea des troupes d'ac-

teurs des théâtres de Mayence et de Mannheim pour distraire les curistes. Les salles des hôtels ne suffisant plus, on construisit une grande salle pour les représentations théâtrales et pour les autres divertissements de la société.

En 1806 le prince de Nassau entra dans la Confédération du Rhin et reçut en contrepartie le Rheingau et le titre de Duc. Il mourut la même année et la lignée des Nassau-Usinger s'est éteinte avec lui. A partir de ce moment-là, les Weilburger régnèrent en Nassau, ce qui eut l'avantage de faire du duché de Nassau un état homogène autour de sa capitale Wiesbaden. C'est alors le début d'une intense période de construction. Christian Zais, architecte renommé (1771–1820), reçut du duc l'ordre de construire de nouveaux thermes et un nouveau lieu de divertissement à l'emplacement de la fontaine des prés. Le nouvel établissement thermal fut inauguré en 1810. Les visiteurs furent séduits par la sévérité classique de l'architecture et par la richesse du décor intérieur. Zais avait pu acheter à bas prix les tableaux des peintres italiens commandés par Napoléon mais que celui-ci n'avait pu recevoir étant donné la fin de son règne. Architecture et décors suscitèrent l'enthousiasme; un chroniqueur les décrivait ainsi: «des galeries de Paestum, pleines de magnificence, soutenues par des colonnes de marbre, où les attraits de Bacchus s'épanouissent et ravissent les sens», et Goethe notait en 1814, au cours de son premier séjour à Wiesbaden: «Le grand Kursaal et les nouvelles avenues seront pour tout ami de l'architecture source d'inspiration et de plaisir.» Cette réalisation de Christian Zais contribua de loin à la renommée mondiale de la ville thermale de Wiesbaden, et ce lieu devint le point de rencontre de la société mondaine européenne.

Goethe et Wiesbaden ont beaucoup échangé et beaucoup reçu l'un de l'autre. Le ministre de Weimar et le poète vinrent deux fois en cure à Wiesbaden, de la fin juillet à la mi-septembre 1814 et de juin à août 1815. Ce temps-là fut pour Goethe une période créatrice: il y composa les nombreux poèmes du «Divan oriental», dont les vers immortels:

«Si tu n'as pas cela,   »Wenn du dies nicht hast,
Ce mourir et ce devenir,   Dieses Stirb und Werde,
Tu n'es qu'un triste hôte   Bist du nur ein trüber Gast
Sur cette belle terre.»   Auf dieser schönen Erde.«

Il y fit des rencontres importantes pour son œuvre future et y reçut beaucoup d'impressions nouvelles dont il a amplement parlé dans ses lettres, dans son journal et aussi dans les notes intitulées «Voyage sur le Rhin, le Main et le Neckar». Il favorisa la création d'une collection d'objets d'art à Wiesbaden et proposa la construction d'un musée pour abriter celle-ci. La proposition de Goethe mit 100 ans à voir le jour. Enfin, on procéda à l'édification du grand musée où sont conservés et exposés les trésors artistiques et les objets témoins des temps anciens. Wiesbaden a élevé un monument au souvenir du célèbre curiste venu de Weimar: l'Olympien trône assis sous les colonnes du portique de l'entrée du musée.

L'architecte souabe Christian Zais modela la forme et le visage de Wiesbaden, tant dans ses plans que dans les réalisations architecturales dont le classicisme sévère nous ravit encore aujourd'hui: tels apparaissent le palais du prince héritier Wilhelmstrasse où se trouve actuellement la chambre de commerce et d'industrie, le petit pavillon Friedrichstrasse, siège aujourd'hui du premier district de police et les jardins de la Luisenplatz qui furent restaurés en 1984/85.

Wiesbaden comptait 3800 habitants en 1817, et la ville attirait toujours plus de gens ayant envie de résider dans la capitale du duché. Le duc Friedrich August agrandit alors sa ville de résidence et voulut en faire le cœur de son duché. Il ordonna la démolition des remparts de la ville qui n'avaient en fait plus aucune valeur, ou militaire ou stratégique. Le maître de construction Götz traça de nouvelles rues, Zais construisit des bâtiments de style classique, travailla à une stricte ordonnance architecturale, afin de donner à la ville une allure plaisante et homogène, et de fait, il la lui donna bien. En 1823, une explosion de projets de construction donna en trois décennies à la capitale des Nassau l'aspect qu'elle a encore aujourd'hui: une ville spacieuse, aérée avec des rues larges, de vastes places, de nombreux espaces verts et une infrastructure déterminée par le thermalisme. En 1823 fut construit sur la Kranzplatz, l'établissement dans lequel on peut boire de l'eau thermale. En 1824, on édifia le pavillon de chasse du duc sur la Platte, plateau situé à 500 mètres au-dessus de la ville, sur la crête du Taunus. En 1865, le duc y tint sa dernière chasse avant de perdre son duché en 1866. En 1827, Heinrich Jacob Zengerle construisit la plus longue colonnade d'Europe: la Brunnenkolonnade, sur le côté nord du Kursaal. On planta deux rangées de platanes qui délimitèrent l'espace vert s'étendant face au Kursaal et appelé le Bowling Green. La colonnade sud, dénommée aujourd'hui Theaterkolonnade, fut érigée en 1839.

En 1816, le duc Wilhelm épousa en secondes noces Pauline, une femme très engagée sur le plan social et dont le souvenir nous est rappelé par le nom de l'hôpital Paulinenstift. Il mourut en 1839. Son fils lui succéda sur le trône ducal; il continua les travaux entrepris par son père et en ajouta de nouveaux. On acheva la construction du château (Stadtschloss) commencé en 1837, selon les plans de l'architecte de Darmstadt Georg Moller, élève de Weinbrenner. Moller adopta une solution pleine de fantaisie pour la construction de ce château de style premier néo-classique sur un angle de terrain: un arrondi relie les deux ailes du château, mais le bâtiment ressemble à une maison bourgeoise, car à cette époque, les manifestations d'un style princier outrecuidant étaient bannies en architecture. Le décor intérieur était une merveille: de magnifiques planchers, des plafonds et des murs couverts de fresques, des bois précieux, des tapisseries de soie et des meubles de choix. On construisit un manège et on installa une magnifique salle de musique; le manège dut s'effacer en 1957 devant la reconstruction de la salle du Parlement de la Hesse qui siège aujourd'hui au château comme le démocratique successeur du souverain. En 1842, l'architecte Carl Boos, âgé de 32 ans, construisit le premier bâtiment gouvernemental représentatif au coin de la Luisenstrasse et de la Marktstrasse, dans un style Renaissance florentine. La même année commencèrent les travaux du petit château où emménagea en 1845 la duchesse Pauline, veuve du duc Wilhelm prématurément décédé.

Le duc Adolf épousa en 1842, une nièce du tsar de Russie, Elisabetha Michailowna, une jeune femme très belle qui apportait en dot un million de roubles. La jeune duchesse mourut dix mois plus tard à la naissance de sa fille. Pour commémorer son souvenir, le duc chargea son architecte Philipp Hoffmann de construire tout en haut de la ville, sur le Neroberg, une église russe de style orthodoxe. Hoffmann séjourna presque une année en Russie pour y étudier l'architecture des églises russes. A son retour, il réalisa les plans de l'église-mausolée de la duchesse Elisabetha. L'église fut consacrée le 25 mai 1855, et l'on y transporta solennellement dans la nuit du 26 mai, les restes de la duchesse Elisabetha et de sa fille dans un sarcophage ciselé dans du marbre blanc de Carrare par le sculpteur munichois Emil Alexander Hopfgarten. Les cinq coupoles dorées de l'église qu'on appelle à Wiesbaden «la chapelle grecque» se détachent de très loin, rayonnantes sur le fond sombre de la forêt, et saluent depuis ce temps chaque visiteur se rendant à Wiesbaden. Elles sont vraiment devenues l'emblème de la ville.

La ville de cure grandit sans cesse dans sa partie résidentielle. Le thermalisme devenait un facteur économique qui prenait de plus en plus d'importance pour Wiesbaden. Sur les 13500 habitants de l'année 1845, 2400 sont «au service» des curistes. L'agitation politi-que de l'année 1848 n'influença en rien la croissance de la ville. Les Nassauer exigèrent comme partout, le droit de vote pour tous. 30000 citadins et payans venus de tous les points du duché manifestèrent sur la place du château. Leur porte-parole, August Hergenhahn, présenta leurs revendications au duc qui venait de rentrer de Berlin. Le duc promit de les examiner, mais le chemin de la démocratie était encore long. Une diète fut élue en mai 1848.

Nassau était un pays pauvre; l'éclat de la ville résidentielle bien que celle-ci fut moins éclatante et plus modeste que bien d'autres capitales ducales allemandes, était trompeur. Le gouvernement ducal s'efforça de renforcer la capacité économique du pays, mais les moyens restèrent aussi limités que les succès. En 1857, le chemin de fer descendit la vallée du Rhin jusqu'à Niederlahnstein; quelques années plus tard, la première locomotive parcourait le Taunus jusqu'au bourg voisin de Bad Schwalbach. Une nouvelle galerie fut érigée pour les curistes sur la Kranzplatz afin d'animer encore davantage le thermalisme. En 1862, Carl Boos termina l'église du marché, le temple protestant le plus important de la ville, une basilique à trois nefs et cinq tours qui se découpent depuis ce temps sur le ciel de la ville. Boos construisit cette église de style néo-gothique d'après le modèle de Karl Friedrich Schinkel, les briques, qui en sont le matériau essentiel, soulignent son caractère romantique. Les quatre figures des Apôtres, plus grands que nature, d'Emil Alexander Hopfgarten, se dressent à l'intérieur de l'église qui est pour le reste d'une décoration très dépouillée. Philipp Hoffmann avait déjà construit en 1844–1849 la première grande église catholique dans un style proche du gothique, et lorsque sa façade fut terminée en 1856, celle-ci domina la Luisenplatz de ses hautes tours effilées.

Le public qui séjourna plus ou moins longtemps à Wiesbaden devint toujours plus international. En 1862, l'écrivain russe Fjodor Michailow Dostojewski vint à Wiesbaden et passa d'amères semaines dans cette ville où le casino et tout ce qu'un joueur peut y vivre lui fournirent les bases de son roman «Le joueur». Richard Wagner habita longtemps une villa au bord du Rhin, et y composa le prélude et certaines parties des «Maîtres-chanteurs de Nuremberg». Brahms et Reger séjournèrent plus tard à Wiesbaden: Brahms y créa sa troisième symphonie, la «Wiesbadener Sinfonie» et quelques Lieder; Max Reger, lui, effectua son service militaire à Wiesbaden.

Le duc fit beaucoup pour le thermalisme, car il ne tenait pas l'industrie en haute estime et n'en voulait point dans sa ville de résidence, coquette et élégante.

Cette industrie devait rester à l'écart, à Biebrich, sur les bords du Rhin ou encore plus loin; ce qui se révéla plus tard avoir été une politique à court terme, au moment du déclin du duché et de l'empire. Le duché de Nassau cessa d'exister en 1866, car il s'était placé dans le mauvais camp lors de la guerre austro-prussienne. La Prusse annexa le petit duché et l'intégra dans sa Province du Rhin. Wiesbaden devint certes le siège prussien du gouvernement du président, mais l'éclat de la capitale sembla disparaître.

Pourtant, ce ne fut qu'apparence. Le contraire arriva et Wiesbaden entra dans une époque fastueuse, devint une ville d'eaux réputée dans le monde entier, où se rendirent chaque année visiteurs et curistes en plus grand nombre que celui de ses habitants. Wiesbaden a joui de la faveur des rois de Prusse et plus tard des empereurs allemands. Ce fut Guillaume II qui en fit surtout le centre d'attraction de l'empire. Il était de bon ton dans les années précédant la première guerre, d'habiter Wiesbaden, la ville préférée de l'Empereur. Carl von Ibell, qui bénéficiait de la faveur personnelle de Guillaume II, a poursuivi le développement de la ville en lui ajoutant de nombreux bâtiments représentatifs. Ainsi, par exemple, la nouvelle gare, le nouveau théâtre, le nouvel hôtel de ville, puis, les travaux d'extension du réseau d'alimentation en eau, l'installation de canalisations modernes remarquables pour l'époque, la construction de nouvelles écoles, le déploiement des installations thermales, la construction du Musée et celle de toutes ces villas imposantes bâties à l'est de la Wilhelmstrasse et dans la vallée de Nerotal, villas qui témoignent encore aujourd'hui de la splendeur passée de Wiesbaden: tout ceci étant le résultat de sa gestion. Ibell misait sur le thermalisme apportant l'argent des rentes des gens riches, sur la cour impériale venant chaque année en cure en mai et apportant ainsi à la ville un crédit international. Il s'opposait par contre à toute forme d'industrialisation, poursuivant en toute logique la politique de développement urbain des ducs de Nassau.

Les réalisations d'Ibell sont devenues partie intégrante du Wiesbaden des temps modernes car il développa de manière avisée et énergique l'infrastructure de la ville thermale et des quartiers résidentiels. Une compagnie de gaz et une compagnie d'électricité s'installèrent. Les rues furent éclairées la nuit. Les moyens de transport publics furent modernisés: l'ancien omnibus hippomobile qui transportait les curistes depuis 1875, fut remplacé par «l'électrique». Des nouveaux abattoirs assurèrent l'approvisionnement de tous les citadins et gens de passage. Néanmoins, ce sont avant tout les nombreux bâtiments neufs et de prestige construits sous Ibell, qui marquent encore aujourd'hui le profil de Wiesbaden: le «Nouvel hôtel de ville» de style néo-renaissance fut construit de 1884 à 87 sur la place du château d'après les plans du professeur d'architecture munichois Georg von Hauberisser; c'est un bâtiment somptueux et selon le cœur des habitants de Wiesbaden. Ceci est aussi valable pour le nouveau théâtre, œuvre d'architectes de théâtre mondialement connus, les Viennois Fellner et Hellmer que l'on recruta pour sa construction. Il fut inauguré en grande cérémonie et en présence de l'Empereur, après deux années de travaux. Ainsi fut créé le cadre du Festival Impérial de Mai qui enthousiasma régulièrement le public chaque année à partir de 1896, grâce aux magnifiques représentations des troupes impériales du théâtre de la cour de Berlin. Il ne manquait pourtant qu'une seule chose au nouveau théâtre: il n'avait pas de foyer pour accueillir son prestigieux public. Felix Genzmer construisit en 1902 un foyer, dont les décorations de stuc doré et la splendide fresque du plafond dégageaient enfin tout l'apparat nécessaire aux spectateurs: c'était, et cela est encore de nos jours, le digne cadre d'un public en tenue de soirée et en représentation personnelle.

On construisit en 1881 un nouvel hôtel sur le Neroberg et, depuis 1888, un funiculaire à mouvement hydraulique, la Nerobergbahn, mène à cette Hausberg, colline qui ne tire pas son nom de l'empereur Néron le mal famé, mais de la racine celtique «ners» qui signifie Hausberg (montagne familière ou familiale). Le funiculaire est encore aujourd'hui un pôle d'attraction bien particulier pour les habitants de Wiesbaden et leurs visiteurs.

Les installations thermales de la Kranzplatz reçurent enfin, avec la buvette nouvellement construite en 1890, le cadre architectural approprié à la cure thermale; la Kochbrunnen, est l'un des trois thermes principaux de Wiesbaden où la fontaine est abritée sous un petit pavillon de forme octogonale que les gens du pays dénomment «le temple de la source chaude». Enfin, au cœur du vieux centre thermal, sur la Kranzplatz s'élevèrent en 1900 et 1905, deux hôtels de cure splendides: «l'Hôtel à la Rose» et le «Palast-Hotel».

On inaugura le nouveau Kursaal en 1907, après une longue polémique de politique communale. Il fut construit par l'architecte munichois, le professeur Friedrich von Thiersch et luxueusement décoré. Il coûta cinq millions de marks or. Le Kursaal de Zais ne suffisait plus depuis longtemps, aux besoins d'une ville de cure de réputation mondiale qui voyait défiler chaque année plus de 130 000 curistes. La puissante architecture du bâtiment de style néo-classique et son précieux aménagement intérieur n'enthousiasmèrent pas seulement l'Empereur en présence duquel on inaugura le nouvel établissement, mais aussi tous les habitants de Wiesbaden et tous les curistes qui admirèrent ce point de rencontre de la société thermale et mondaine, comme le fit autrefois Goethe pour la réalisation de Zais. Le Kursaal de Wiesbaden, pensaient les contemporains, était le plus beau du monde; d'aucuns le pensent encore aujourd'hui et pas seulement l'enthousiaste natif de Wiesbaden. Quand il sera restauré pour une somme de 54 millions de marks et selon les normes fixées par la société de protection des monuments historiques, il retrouvera son ancienne splendeur, sera le témoignage le plus impressionnant de la ville d'eaux de Wiesbaden, impériale, wilhelmienne et prussienne, l'emblème de Wiesbaden pour le monde entier; un chef-d'œuvre architectural qui montre le faste de cette ville à la manière des églises et cathédrales qui montraient la grandeur et l'importance des cités médiévales ou encore à la manière des résidences princières qui soulignaient la puissance et la richesse des souverains de l'époque baroque.

La nouvelle gare fut inaugurée en 1906 par l'Empereur Guillaume II, c'est une tête de ligne au sud de la ville, de grandes dimensions et digne d'accueillir l'Empereur: le monarque descendit à cheval la Wilhelmstrasse pavée de bois à cette époque, les habitants de Wiesbaden enthousiastes acclamèrent leur empereur et sa suite avant que celui-ci ne se retire au château où il avait l'habitude de séjourner quand il venait à Wiesbaden. Ah! qu'il faisait bon vivre dans cette ville aimée des grands! Quelle joie de suivre une cure au nouvel établissement thermal du Kaiser-Friedrich-Bad, dans ces thermes du milieu qui, ouverts en 1913, possédaient un bain romain d'Irlande, et où fenêtres et plafonds étaient entièrement décorés de fresques et ornements de style art nouveau!

On construisit la même année une nouvelle bibliothèque, le long de la Rheinstrasse, appelée aujourd'hui Hessische Landesbibliothek (bibliothèque du Land de la Hesse); un nouveau corps de musée fut entrepris en même temps, selon les plans de Theodor Fischer, et inauguré en 1915, en plein milieu de la grande guerre. La famille Henkell von Paul Bonatz fit construire exactement au sommet de la Biebricher Höhe, marquant la frontière entre les deux villes de Wiesbaden et de Biebrich, un nouveau bâtiment qui est l'un des plus beaux conçus par ce fameux architecte berlinois, et dont l'aménagement intérieur montre le faste de Wiesbaden au même titre que d'autres bâtiments publics de la ville.

La fin de la première guerre vit disparaître éclat et magnificence. Wiesbaden, ville de cure internationale, perdit d'un seul coup son promoteur, l'Empereur, et son public aussi. Le brillant se couvrit d'une grisaille uniforme et terne: lorsqu'en octobre 1918, Wiesbaden subit son premier bombardement qui détruisit quelques villas et fit 12 morts, de nombreux habitants de Wiesbaden virent leur vie quotidienne prendre un tout autre aspect.

A l'arrivée des troupes d'occupation françaises à la mi-décembre 1918, tout devint encore plus sombre et plus effrayant: les tracasseries étant à l'ordre du jour, la résistance intérieure contre l'injustice et la violence militaire prit de l'ampleur au sein de la population, résistance due aux excès d'une politique de vainqueurs vengeresse et pleine de représailles. Faim et misère régnaient sur la ville, à peine soulagées par les soupes populaires et les actions «Nourriture des pauvres» organisées par des œuvres de charité. Le charbon manqua et beaucoup eurent froid, les écoles durent fermer en hiver. Les logements devinrent insuffisants, les sociétés de construction de la ville créèrent de nouveaux quartiers d'habitation le long de la Westerwaldstrasse et de la Lahnstrasse. Les gens de Wiesbaden luttèrent de toutes leurs forces contre l'adversité, malgré la crise économique mondiale, malgré désespoir et dénuement.

Le gouvernement de Berlin essaya de canaliser la misère dans les villes, en modifiant leurs structures: on associa des communes économiquement faibles; ainsi Biebrich, complètement ruinée financièrement, fut rattachée à Wiesbaden en 1926, comme plus tard Schierstein et Sonnenberg, et deux ans après, les localités de Bierstadt, Dotzheim, Erbenheim, Frauenstein, Igstadt, Kloppenheim, Heßloch et Rambach furent aussi rattachées à la municipalité de Wiesbaden qui compta alors 150000 habitants. Ceci n'arrangea finalement pas les finances de la ville, car les moyens d'existence d'à peu près la moitié des habitants dépendaient de l'aide sociale. Un commissaire à l'épargne s'installa à l'hôtel de ville, mais les répercussions de la crise économique furent plus fortes que tous les efforts mis à la résorber. Ce fut seulement après le retrait des troupes d'occupation en 1930 que la ville sembla reprendre son souffle. Le thermalisme reprit son élan avec beaucoup de mal. Le riche pharmacien Adam Herbert et Hugo Reisinger, émigré aux Etats-Unis, firent don à la ville de l'espace vert Herbert-Reisinger qui se trouve en face de la gare et ouvre ainsi, depuis 1932, une vaste fenêtre sur la ville. On inaugura en 1934, l'Opelbad au Neroberg: cette piscine fut offerte à sa ville natale de Wiesbaden par le

conseiller Fritz von Opel. Ces deux dernières réalisations soulignent les efforts des dirigeants de la municipalité pour stimuler le thermalisme.

Les changements intervenus dans la vie sociale sous la dictature nationale socialiste ralentirent considérablement ces efforts mêmes. Les clients étrangers se firent rares, les temps étant incertains et les Allemands paraissant trop violents. Beaucoup l'étaient de fait. La persécution des juifs atteint son maximum en 1938, lorsqu'on incendia la synagogue construite par Philipp Hoffmann en 1869, sur le Michelsberg. De nombreux juifs purent quitter la ville à temps, juste avant que leurs confrères en religion, tous citoyens bien en vue, soient déportés vers les camps de concentration.

Lorsque Hitler déclara l'entrée en guerre en 1939, on ne put déceler la moindre trace d'approbation ni d'enthousiasme; au contraire, l'humeur était sombre, beaucoup désespéraient, la plupart avaient peur. Cette frayeur enfla avec les années: elle ne fut pas supportée par indifférence, mais pour des raisons de survie, survie qui paralysa les hommes. Lorsque les bombes détruisirent la ville et que Wiesbaden eut à déplorer 1000 morts et 28000 sans abri en une seule nuit, on n'eut plus qu'un seul désir: que cette guerre insensée cesse enfin! Le 28 mars 1945, les troupes américaines occupèrent la ville qui se rendit sans combat, grâce à l'intervention d'une poignée d'hommes courageux qui osèrent s'opposer à la politique meurtrière de terre brûlée du Führer.

On émergea lentement d'une longue nuit pour entrer dans une aube grise. Beaucoup eurent aussitôt le courage de tout recommencer, de déblayer ruines et décombres, pas seulement dans les rues et sur les places, mais aussi dans le cœur des hommes ensevelis eux-mêmes sous leur propre misère et leur désespoir. Les femmes et les hommes de la première heure, comme on les appelle volontiers de nos jours, qui eurent le courage de lutter contre un avenir incertain, le désespoir et la détresse humaine, ont leur nom gravé dans le livre d'histoire de la ville, comme l'est aussi celui de tous ces hommes qui, dès les temps les plus reculés, repartirent à zéro chaque fois qu'ils durent reconstruire leur cité et la faire revivre dans la ferme croyance en un avenir meilleur. En mai 1946, les habitants de Wiesbaden ont élu leur première assemblée municipale. Dans le premier conseil constitué aussitôt après, et chargé d'administrer collégialement la ville, se dégage le nom d'un homme qui prit en main le sort de la ville jusqu'en 1966, comme aucun autre ne le fit avant lui. Georg Buch, d'abord conseiller municipal, puis adjoint au maire de 1954 à 1960 et ensuite maire

de la ville de 1960 à 1966, fut un politicien des plus énergiques et des plus populaires auquel Wiesbaden doit beaucoup pour son engagement envers sa ville natale et ses concitoyens.

Wiesbaden, qui comptait 123000 habitants à la fin de la guerre, dut abriter environ le même nombre de fugitifs et de proscrits qui venaient y chercher une nouvelle patrie. Ils l'y trouvèrent effectivement car les gens de Wiesbaden les reçurent à bras ouverts, ils se sentirent solidaires de leur sort et reconstruisirent la ville ensemble, non seulement une ville pour curistes, mais aussi un centre administratif et économique important, situé à l'ouest de la région économique Rhin-Main. La ville devint capitale du Land de la Hesse en 1946, ce qui facilita et attira la création de nouveaux emplois, grâce à l'implantation de nouvelles administrations et industries. Ceci favorisa le financement d'infrastructures devenues nécessaires. En effet, il ne s'agissait pas seulement à cette époque de reconstruire, mais encore de construire du neuf pour les nouveaux arrivants: toujours plus de logements, des écoles, des jardins d'enfants, des installations sportives; on dut reconstruire et développer les capacités d'alimentation en eau, gaz et électricité pour l'habitat et l'industrie. On tint pourtant à conserver, lors des travaux de reconstruction, le caractère et la silhouette historiques de la ville afin que le nouveau s'harmonise avec l'ancien. Ce fut une réussite.

Le chemin fut long et difficile à parcourir. En 1949, on remit en service les thermes de la Kochbrunnen et la buvette; un an plus tard, eut lieu le premier Festival International de Mai, une fois reconstruit le quartier des thermes et des sources. Le festival n'a pas seulement repris une ancienne tradition, il devint le point de rencontre d'ensembles, de troupes d'artistes et de concertistes de Moscou ou New-York, de Tokio ou Paris; bref, une fenêtre ouverte sur le théâtre mondial. La Brunnenkolonnade fut réouverte en 1952, ainsi qu'en 1953, le théâtre et le Kursaal, qui avaient tous deux presque entièrement brûlé après l'énorme bombardement de février 1945. Le premier congrès dans la Rhein-Main-Halle eut lieu en 1957: ce centre est devenu, du fait de son aménagement et de son agrandissement, un grand centre de congrès international.

Wiesbaden attira, en temps que capitale du Land, un grand nombre d'administrations et d'entreprises. L'Office fédéral de la Police criminelle s'y installa en 1953 et, deux ans plus tard, l'Office fédéral de la Statistique; des banques, des compagnies d'assurances, des maisons d'édition, les Crédits Fonciers d'Allemagne s'y implantèrent. D'anciennes branches industrielles prirent un nouvel essor, de nouvelles s'installèrent, ainsi que les multiples sièges de trusts importants et différentes entreprises de prestations, travaillant pour le monde entier. Un bon tiers de la population active de Wiesbaden travaille dans l'administration ou dans des entreprises de prestations du secteur public ou privé. Le thermalisme n'est plus un phénomène de société, comme il l'était autrefois, mais il est plutôt envisagé comme un traitement thermal assujetti à certains besoins sociaux. De nouvelles cliniques et sanatoriums s'érigèrent au-delà du Kurpark, on construisit une vaste piscine thermale extrêmement bien conçue et la première et unique Deutsche Klinik für Diagnostik (Clinique Allemande de Diagnostique). On transforma intentionnellement Wiesbaden en un centre de traitement thermal du rhumatisme, ce qui se trouve confirmé chaque année par l'attribution du «Prix Carol Nachman de rhumatologie de la capitale de Wiesbaden». Ce prix récompense certains travaux effectués dans le domaine de la recherche en rhumatologie.

Au début des années 70, les habitants de Wiesbaden, anciens résidents et nouveaux venus, entreprirent à grands frais la restauration de leur ville afin, non seulement d'en conserver et entretenir l'image actuelle, mais aussi, sous l'influence d'une nouvelle prise de conscience, afin d'en canaliser la croissance et sauver du délabrement les témoins d'un passé encore vivant. Assainissement et protection des monuments historiques ne furent pas seulement de vains mots: la Kranzplatz, la Luisenplatz, l'Adolfsallee, la Villa Clementine magnifiquement restaurée et aménagée en centre culturel l'année des monuments historiques, et pour finir, la zone piétonne, restituèrent à la ville son cachet particulier. Les citoyens approuvèrent les travaux et y participèrent; Wiesbaden est aujourd'hui une belle ville, propre et animée avec un parfum d'élégance, d'exclusivité même.

Entretenir l'ancien et ne pas faire obstacle à la nouveauté, telle est la devise de la ville. A l'occasion des travaux de restauration, on redécouvrit quelques chefs-d'œuvre d'importante valeur historique: de splendides fresques dans la rotonde du château de Biebrich, les colombages dissimulés de vieilles maisons du moyen-âge, à Frauenstein, l'un des faubourgs de Wiesbaden. On ressent à chaque pas, la continuité, la qualité de la vie, et le sens de l'appartenance, qui font partie intégrante d'un certain urbanisme. Car l'urbanisme est aussi, et avant tout, urbanité depuis de nombreuses années.

Plus rien n'évoque les années difficiles de la reconstruction, de la misère et de la détresse. Seuls les récits des personnes âgées font revivre ces souvenirs; elles en retracent l'histoire avec fierté. Te souviens-tu? est une question que l'on entend souvent, quand les habitants de Wiesbaden se rencontrent pour se distraire, dans une de leurs nombreuses fêtes de rue et surtout, lors de la «Semaine du vin du Rheingau» qui rassemble dix jours durant sur la place du château, dans la zone piétonne du centre ville, des centaines de milliers de visiteurs venus pour se retrouver autour d'un verre de vin, dans une joyeuse atmosphère musicale. A cette occasion, les gens du terroir guident leurs hôtes dans toute la ville, leur ville qu'ils aiment par-dessus tout et qui est restée humaine malgré sa grande extension, malgré de grandes différences, entre les faubourgs Est restés campagnards, et la zone industrielle des bords du Rhin, malgré le contraste entre les services administratifs à la périphérie du centre et les villas anciennes de Nerotal. Ils emmènent avec fierté leurs invités sur le Neroberg, d'où l'on a un magnifique point de vue sur toute la ville jusqu'à Mayence, de l'autre côté du Rhin, jusqu'à l'Odenwald que l'on aperçoit en clair-obscur dans le lointain. Le Neroberg incarne, tout comme le Kursaal, la Marktkirche, le château et l'ancien hôtel de ville de 1690, ce que l'on pourrait appeler l'essence de Wiesbaden et la continuité de son histoire. Cela concerne aussi la Wilhelmstrasse, que tous ont enchâssée dans leur cœur, cette «Rue» dans laquelle ils font volontiers du lèche-vitrines, soirs et dimanches: voir et être vu fut toujours une règle de conduite pour Wiesbaden. C'est encore vrai de nos jours: Wiesbaden est restée fidèle à la ville d'eaux du 19ème siècle, malgré son engagement dans notre époque et tous ses contrastes. Mais peut-être est-ce justement cela, le véritable charme de toute urbanité?

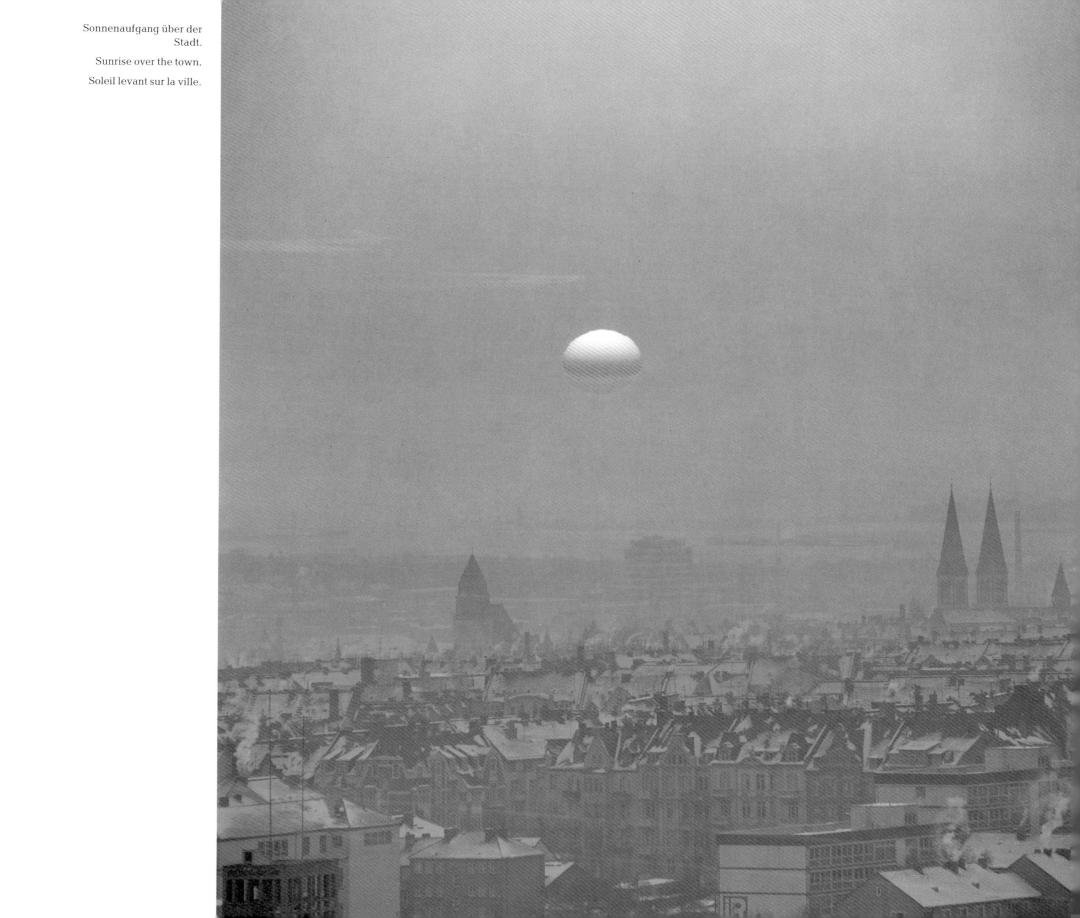

Sonnenaufgang über der
Stadt.

Sunrise over the town.

Soleil levant sur la ville.

Blütenzauber im Kurpark.

Blossoms in the kurpark.

Fleurs dans le Kurpark.

Blick über die Stadt; im
Vordergrund Hauptbahnhof
und Hauptpost.

View over the town: in the
foreground the main station
and the general post-office.

Vue sur la ville: au premier
plan, la gare et la grande
poste.

Kleine Pause am Kurhaus
(oben).
Herbststimmung im Kur-
park (unten).

A short break at the kurhaus
(top), autumnal atmosphere
in the kurpark (bottom).

Petite pause au Kurhaus (en
haut). Atmosphère autom-
nale au Kurpark (en bas).

Am Warmen Damm, im Vor-
dergrund die Plastik von
France Rotar.

At Warmer Damm, in the
foreground a sculpture by
France Rotar.

Sur le Warmen Damm, au
premier plan, une sculpture
de France Rotar.

Goethe-Denkmal vor dem Museum.

Goethe monument in front of the museum.

Le monument de Goethe devant le musée.

Die Merkursäule (links), der Mithras-Altar (rechts) im Museum, Zeugen der römischen Vergangenheit.

Mercury column (left) and Mithras altar (right) in the museum testify to the Roman past.

La colonne de Mercure (à gauche), l'autel de Mithras (à droite) au musée, des témoins du passé romain.

Villa Clementine, einst herrschaftliches Wohnhaus, heute Kulturzentrum.

Villa Clementine, once a splendid residence, now a centre for cultural activities.

La Villa Clementine, résidence seigneuriale autrefois, aujourd'hui centre culturel.

Museumsschätze aus aller Welt (links), moderne Kunst (oben) im Museum und in zahlreichen kleinen Galerien der Altstadt (unten); die Gemäldegalerie des Wiesbadener Museums beherbergt die größte Sammlung des russischen Malers Alexej Jawlensky (rechts oben), im Kulturzentrum Villa Clementine finden Ausstellungen moderner Malerei statt (rechts unten).

Museum treasures from all over the world (left), modern art (top) in the museum and in countless small galleries in the old part of town; the Wiesbaden museum's art gallery accommodates the largest collection of work of the Russian painter Alexej Jawlensky (top right); exhibitions of modern art are held in the Villa Clementine.

Trésors du musée du monde entier (à gauche), art moderne (en haut) au musée et dans les nombreuses petites galeries du vieux centre (en bas); la galerie de peintures du musée de Wiesbaden abrite la plus grande collection du peintre russe Alexej Jawlensky (en haut, à droite), des expositions de peinture moderne ont souvent lieu au centre culturel de la Villa Clementine (en bas, à droite).

Heidenmauer und
Römertor.

The Heathen Wall and
Roman Gate.

Le mur des païens et la porte
romaine.

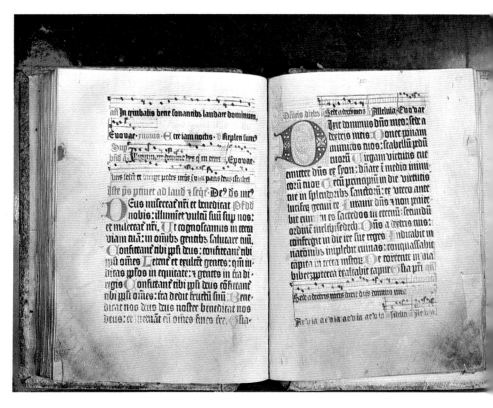

Hessische Landesbibliothek
in der Rheinstraße (links),
die weltberühmte Hildegar-
dis-Handschrift aus dem 13.
Jahrhundert (rechts).

The Hesse State Library in
Rheinstrasse (left), the
world-famed Hildegard
manuscript dating from the
13th century (right).

La bibliothèque du Land de
la Hesse dans la Rhein-
strasse (à gauche), le manu-
scrit de Sainte-Hildegarde
du 13ème siècle, célèbre
dans le monde entier
(à droite).

Römisch-irisches Bad im
Kulturmittelhaus Kaiser-
Friedrich-Bad.

Roman-Irish Bath in the
Kaiser Friedrich Baths.

Le bain romain d'Irlande
dans les thermes du milieu:
le Kaiser-Friedrich-Bad.

Das neue Thermal-
schwimmbad im Aukamm-
tal.

The new thermal swim-
ming-bath in Aukammtal.

La nouvelle piscine
thermale dans la vallée de
l'Aukamm.

Herzdiagnose (links), Emp-
fangsfoyer in der Deutschen
Klinik für Diagnostik
(rechts).

Cardiac diagnosis (left), re-
ception foyer of the German
Diagnostic Clinic (right).

Diagnostic cardiaque (à
gauche), réception de la
Deutsche Klinique für Diagnostik (à droite).

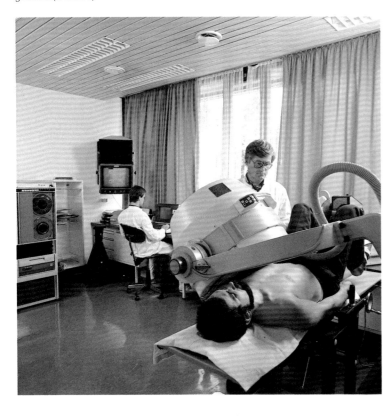

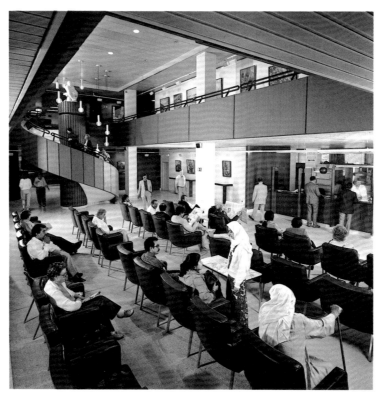

Das neue Kurgebiet
im Aukammtal mit dem
Thermalschwimmbad.

The new spa quarter
in Aukammtal with the new
thermal swimming-bath.

Les nouvelles installations
thermales dans la vallée de
l'Aukamm avec la nouvelle
piscine.

Die Dr. Horst-Schmidt-Kliniken auf dem Freudenberg, das städtische Krankenhaus.

The Dr. Horst Schmidt Clinic complex in Freudenberg, the municipal hospital.

Les cliniques Dr. Horst Schmidt du Freudenberg, l'hôpital municipal.

Das Kongreßzentrum Rhein-
Main-Halle.

Congress centre Rhein-
Main-Halle.

Le centre de congrès et d'expositions Rhein-Main-Halle.

In der Rhein-Main-Halle
finden Ausstellungen, große
Fernseh-Unterhaltungsver-
anstaltungen und interna-
tionale Kongresse statt.

Exhibitions, major television
and entertainment events
and international congres-
ses take place in the Rhein-
Main-Halle.

Expositions, émissions télé-
visées à grand spectacle et
congrès internationaux ont
lieu au centre de la Rhein-
Main-Halle.

Das Bundeskriminalamt und
elektronische Auswertung
von Fingerabdrücken.

Federal Criminal Investigation Office and electronic
dactyloscopic analysis.

L'Office fédéral de la Police
criminelle et l'évaluation
électronique d'empreintes
digitales.

Das Statistische Bundesamt
(linke Seite).

Federal Statistical Office
(left page).

L'Office fédéral de la Statistique (page à gauche).

Grundlagenforschung in
den Labors der chemischen
Industrie.

Basic research in the chemi-
cal industry's laboratories.

Recherche fondamentale
dans des laboratoires d'industrie chimique.

Folienlager der Firma
KALLE, einer Tochter des
Hoechst Konzerns.

Foil storehouse of the
KALLE company, a subsi-
diary of the Hoechst group.

Dépôt de feuilles de plasti-
que de la firme KALLE,
filiale du cartel de Hoechst.

Zementdrehofen der
Dyckerhoff AG.

Rotary kiln for the produc-
tion of cement at Dyckerhoff
AG.

Four à ciment rotatif de la
firme Dyckerhoff S. A.

Eisengießerei in der Rheinhütte.

Iron-foundry at Rheinhütte.

Coulage de fer dans l'entre-
prise Rheinhütte.

Große Industrieanlagen in
Biebrich am Rhein.

Large industrial plants at
Biebrich on the Rhine.

Les grandes industries de
Biebrich sur le Rhin.

Verwaltungszentrum an der
Berliner Straße, Sitz zahlrei-
cher internationaler Unter-
nehmen.

Administrative buildings in
Berliner Strasse, the
registered seat of many
international businesses.

Le centre administratif de la
Berliner Strasse, siège de
multiples trusts internationaux.

Erlesener Wein und prickelnder Sekt im Keller bei Söhnlein.

Choice wines and bubbling champagne in the cellar of Söhnlein.

Vin de qualité et champagne pétillant dans les caves de Söhnlein.

Konzert auf dem Henkellsfeld im Foyer des Hauptgebäudes der Sektkellerei Henkell.

Concert in the foyer of the main building of the Henkell champagne cellarage on the Henkellsfeld.

Concert à Henkellsfeld dans le foyer du bâtiment central des caves à champagne Henkell.

Konzert im Großen Saal und Weihnachtssingen in der Eingangshalle des Kurhauses.

Concert in the Great Hall and carol singing in the entrance hall of the kurhaus.

Concert dans le Grand Salon et chants de Noël dans le hall d'entrée du Kurhaus.

Feuerwerk während des
Sommernachtsfestes im
Kurpark.

Firework display during the
Midsummer Night festivities
in the kurpark.

Feu d'artifice de la fête de la
nuit de l'été dans le Kurpark.

Tanzturnier und internationale Show im Kurhaus.

Dancing contest and international show in the kurhaus.

Tournoi de danses modernes et show international au Kurhaus.

Internationales Turnier der Lateinamerikanischen Tänze im Kurhaus.

International Latin American dancing contest in the kurhaus.

Tournoi international de danses latino-américaines au Kurhaus.

Großes Spiel im Weinsaal
des Kurhauses.

Roulette in the Wine Hall of
the kurhaus.

Le Grand Jeu dans la Salle
du Vin du Kurhaus.

Jugendstilornamente im
Kurhaus.

Kurhaus art nouveau orna-
mentation.

Ornement de style art
nouveau au Kurhaus.

Das Kurhaus im winter-
lichen Schmuck.

The kurhaus in its winter
raiment.

Le Kurhaus en sa toilette
hivernale.

Herbststimmung am
»Bowling Green« vor dem
Kurhaus.

Autumnal atmosphere on
the Bowling Green in front
of the kurhaus.

Atmosphère automnale sur
le «Bowling Green» devant
le Kurhaus.

Die Parkseite des
Kurhauses.

Kurhaus facing the park.

Le Kurhaus côté parc.

»Nizza-Plätzchen« mit
Säulen des alten Kurhauses.

"Nizza Gardens" with
columns of the old kurhaus.

La «Nizza-Plätzchen»
(petite place de Nice) avec
les colonnes de l'ancien Kurhaus.

Prächtige Majolika an der
Parkseite des Kurhauses.

Magnificent majolica on the
park side of the kurhaus.

Les splendides majoliques
du Kurhaus côté parc.

Chorkonzert im
Kurpark.

Choir-concert
in the kurpark.

Chœur concert
dans le Kurpark.

Herbst am Warmen Damm,
Denkmal zu Ehren Kaiser
Wilhelm I.

Autumn at Warmer Damm,
memorial honouring Empe-
ror Wilhelm I.

L'automne au Warmer
Damm, le monument dédié
à l'Empereur Guillaume Ier.

Flötenspieler im Kurpark.

"The Flute Player" in the kurpark.

Joueur de flûte dans le Kurpark.

»Spielende Pferde« von
Gerhard Marcks.

"Playing Horses" by
Gerhard Marcks.

«Chevaux en train de jouer»
de Gerhard Marcks.

Das Hessische Staatstheater
Am Warmen Damm.

Hesse State Theatre at
Warmer Damm.

Le Théâtre national hessois
au Warmer Damm.

DER MENSCHHEIT WÜRDE IST IN EURE HAND GEGEBEN, BEWAHRET SIE!

Der »alte Gebäude-Teil«
des Theaters mit dem Schil-
ler-Denkmal.

The "old" part of the theatre
with Schiller monument.

«L'ancien corps de bâti-
ment» du théâtre et le monument de Schiller.

Posaunenengel neben dem
Giebelfries am Theater.

Angel beside pediment
frieze on the
theatre.

L'Ange à côté du frise du
fronton du théâtre.

In der Theaterkolonnade.

In the theatre colonnades.

Dans la Theaterkolonnade.

Das Aussichtstempelchen
auf dem Neroberg.

The Neroberg lookout
temple.

Le petit pavillon-point de
vue au sommet du
Neroberg.

Die Griechische Kapelle auf dem Neroberg, die Grab-kirche der nassauischen Herzogin Elisabeth; links: ihr Sarkophag.

The Greek Chapel on Neroberg, sepulchre of the Nassau Duchess Elizabeth; left: her sarcophagus.

La Chapelle grecque sur le Neroberg; église-mausolée de la duchesse de Nassau Elisabetha; à gauche: son sarcophage.

Seit 100 Jahren fährt die
Zahnradbahn auf den
Neroberg.

The cable-railway on
Neroberg has been in
operation for a hundred
years.

Le funiculaire monte au
sommet du Neroberg depuis
100 ans.

Weinlese.
Grape-gathering.
Les vendanges.

In gemütlichen Weinlokalen in der Altstadt, bei Weinproben in alten Kellern und vor allem bei der Rheingauer Weinwoche feiern die Wiesbadener den Rheingauer Wein.

In cosy wine restaurants in the old part of town, at wine-tasting sessions in old cellars, and especially during the Rhinegau Wine Week the Wiesbadeners give toast to Rhinegau wines.

Les habitants de Wiesbaden célèbrent le vin du Rheingau dans les tavernes confortables du vieux centre, au cours de dégustations dans les caves anciennes et surtout durant la Semaine du vin du Rheingau.

Fachhochschule mit
Präsentation der Fachklasse
Design.

Students of design
at the professional school
presenting their work.

Institut Universitaire de
Technologie: présentation
de la classe de design.

Bei Jazz und Wein
in gemütlichen Altstadt-
lokalen.

Jazz and wine in cosy
restaurants in the old part of
town.

Taverne du vieux centre:
autour d'un verre de vin en
écoutant du jazz.

Feuerwerk zum Abschluß
des Schiersteiner Hafen-
festes.

Firework display finale at
the Schierstein Harbour
Festival.

Le feu d'artifice clôturant la
fête du port de Schierstein.

Andreasmarkt auf dem
Elsasser Platz.

Andreas Market in Elsasser
Platz.

Le marché de Saint-André
sur la place d'Alsace.

Theatrium auf der Wilhelmstraße.

"Theatrium", the yearly
street festival in Wilhelmstrasse.

Le theatrium dans la
Wilhelmstrasse.

Die Wiesbadener verstehen
Feste zu feiern zu jeder
Jahreszeit und vielen
Gelegenheiten.

The Wiesbadeners know
how to celebrate occasions
whenever they arise.

Les gens de Wiesbaden
s'entendent à faire la fête en
toute saison et à chaque
occasion.

Kirschblüte in Frauenstein.

Cherry blossom in Frauenstein.

Fleurs de cerisiers à Frauenstein.

Sonnenberg mit der mittelalterlichen Burg.

Sonnenberg with its medieval castle.

Sonnenberg et son château moyenâgeux.

Altes Fachwerk in
Frauenstein.

Old half-timbered frame-
work in Frauenstein.

Colombage ancien à
Frauenstein.

Tierpark Fasanerie.

The game park "Fasanerie".

Le zoo de la Fasanerie.

Die alte Kirche St. Birgid in Bierstadt mit den Altarbildern von Caldenbach (rechts) und alten Fresken (links).

The old St. Birgid church in Bierstadt with altar paintings by Caldenbach (right) and old fresques (left).

La vieille église Sainte-Birgid de Bierstadt avec le retable de Caldenbach (à droite) et vieilles fresques (à gauche).

Burg und Schönbornscher Hof aus dem 16. Jahrhundert in Frauenstein.

Castle and Schönborn Court in Frauenstein, dating from the 16th century.

Le château et le domaine Schönborn du 16ème siècle à Frauenstein.

Fort Biehler zwischen Kastel und Erbenheim.

Fort Biehler between Kastel and Erbenheim.

Le fort Biehler entre Kastel et Erbenheim.

Die Rokoko-Kirche in
Schierstein.

Rococo church in
Schierstein.

L'église rococo de
Schierstein.

Auf dem Russisch-ortho-
doxen Friedhof neben der
Griechischen Kapelle auf
dem Neroberg.

The Russian-Orthodox
cemetery next to the Greek
Chapel on Neroberg.

Dans le cimetière russe
orthodoxe à côté de la
Chapelle grecque sur le
Neroberg.

Die Ringkirche von 1894.

The Ringkirche dating from
1894.

La Ringkirche de 1894.

Die Marktkirche von Carl
Boos, davor das Denkmal
des Prinzen von Oranien,
»der Schweiger«.

Carl Boos' Marktkirche and
the monument of the Prince
of Orange.

La Marktkirche de Carl Boos
et le monument du Prince
d'Orange.

Luisenplatz und St. Bonifa-
tiuskirche von Philipp Hoffmann.

Luisenplatz and St. Bonifa-
tius, designed by Philipp
Hoffmann.

La Luisenplatz et l'église
Saint-Boniface de Philipp
Hoffmann.

Typisch Wiesbadener
Klassizismus: an der Pauli-
nenstraße (oben) und das
Erbprinzenpalais an der
Wilhelmstraße (unten).

Typical Wiesbaden classi-
cism: at Paulinenstrasse
(top) and the Hereditary
Princes' Palace in Wilhelmstrasse (bottom).

Un classicisme spécifique à
Wiesbaden: dans la Pauli-
nenstrasse (en haut) et le
palais du prince héritier
dans la Wilhelmstrasse (en
bas).

Adolfsallee: aus einer Straße wurde eine Grünanlage.

Adolfsallee: once a busy traffic road, now a green oasis.

L'Adolfsallee: transformation d'une rue en espace vert.

Alte und neue Fassaden von Wohnhäusern.

Old and new house facades.

Façades de maisons d'habitation, neuves et anciennes.

Freizeitpark »Alter Friedhof«.

The Old Cemetary recrea-
tion grounds.

Le parc de loisirs «Alter
Friedhof».

Luftballon-Start in den Herbert-Reisinger-Anlagen.

Letting off balloons in the
Herbert Reisinger grounds.

Départ en ballon dans le
parc public Herbert-
Reisinger.

Abendstimmung am Haupt-
bahnhof.

Evening mood at the main
station.

La gare : atmosphère du soir.

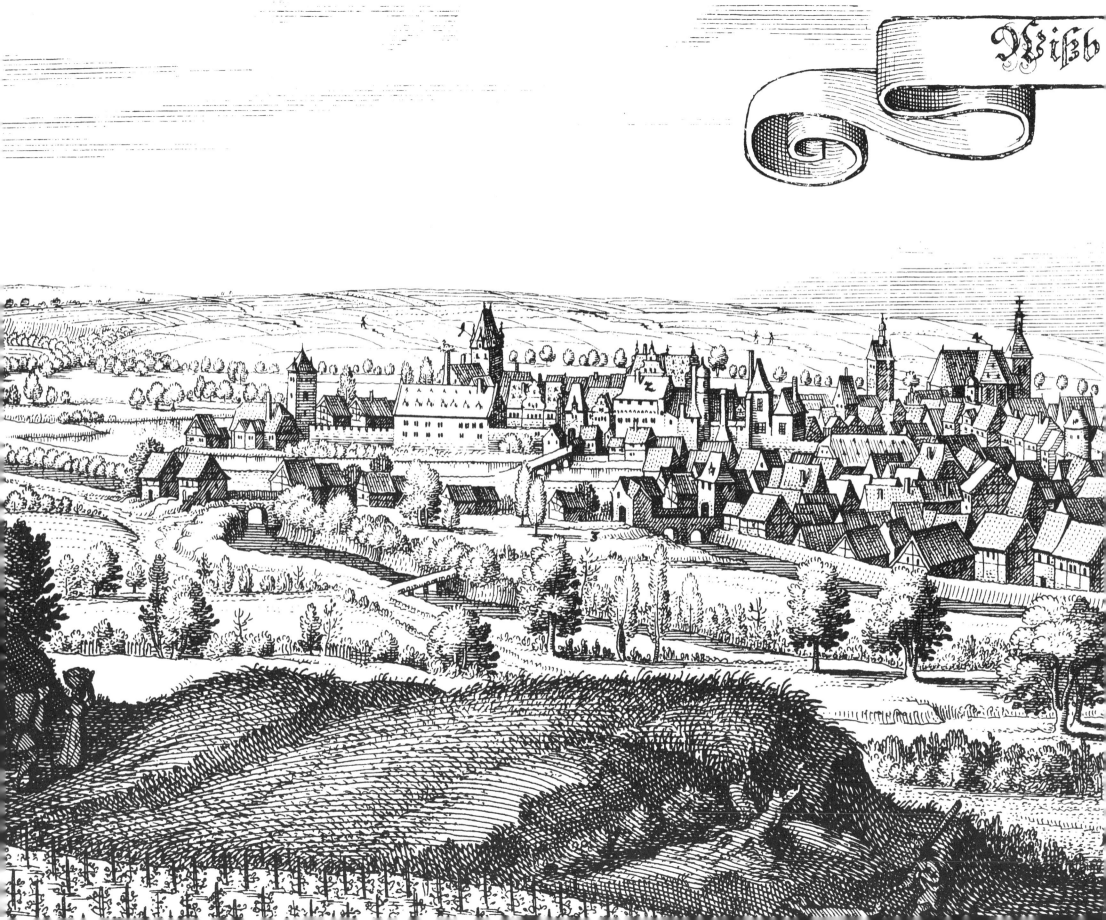

Wisch